ゆりあげの空に

―東日本大震災　それでも前を向いて―

東日本大震災から２週間後の卒業生たち
（閖上復興市にて）

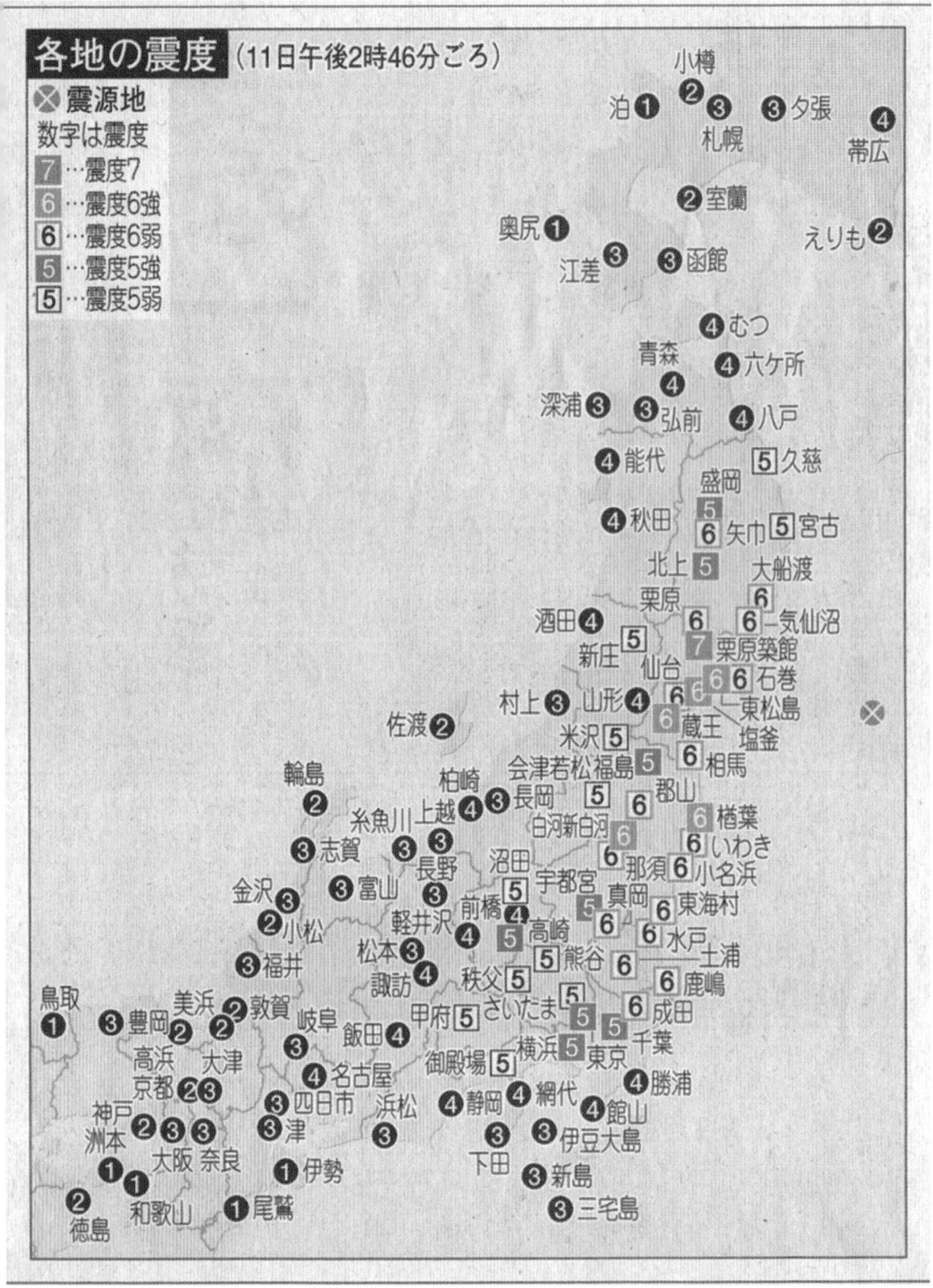
各地の震度（11日午後2時46分ごろ）
震源地
数字は震度
7…震度7
6…震度6強
6…震度6弱
5…震度5強
5…震度5弱
小樽 2
泊 1
札幌 3
夕張 3
帯広 4
室蘭 2
奥尻 1
えりも 2
江差 3
函館 3
むつ 4
青森 4
六ケ所 4
深浦 3
弘前 3
八戸 4
能代 4
久慈 5
盛岡 5
秋田 4
矢巾 6
宮古 5
北上 5
大船渡 6
栗原 6
気仙沼 6
酒田 4
新庄 5
栗原築館 7
仙台 6
石巻 6
東松島 6
村上 3
山形 4
蔵王 6
塩釜 6
佐渡 2
米沢 5
相馬 6
会津若松 5
福島 5
輪島 2
柏崎 3
長岡 3
郡山 6
上越 4
糸魚川 3
楢葉 6
白河 5
新白河 6
いわき 6
志賀 3
長野 3
沼田 5
那須 6
小名浜 6
富山 3
宇都宮 5
真岡 6
東海村 6
金沢 3
前橋 4
小松 2
軽井沢 4
高崎 5
水戸 6
松本 3
熊谷 5
土浦 6
福井 3
諏訪 4
秩父 5
鹿嶋 6
鳥取 1
美浜 2
敦賀 2
岐阜 3
さいたま 5
成田 6
豊岡 3
飯田 4
甲府 5
千葉 5
高浜 2
大津 3
京都
名古屋 4
横浜 5
東京 5
御殿場 5
勝浦 4
四日市 3
浜松 3
静岡 4
網代 4
館山 4
神戸 2
洲本 1
大阪 3
奈良 3
津 3
下田 3
伊豆大島 3
伊勢 1
新島 3
徳島 2
和歌山 1
尾鷲 1
三宅島 3

震災前の閖上中

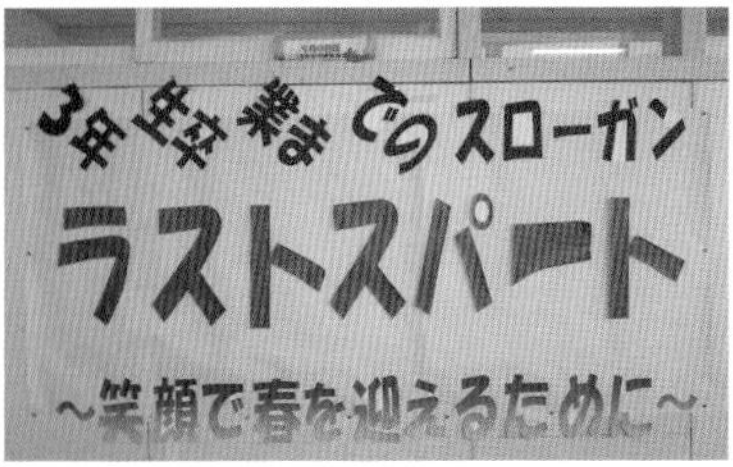

卒業式前の掲示

震災時刻で止まった時計（本文 p14）

道路に打ち上がった船（震災翌日）（本文 p19）

震災直後の職員室（本文 p14）

被災した校舎「三年生ありがとう」とある（本文 p15）

震災翌日の校庭にいる自衛隊の方々（本文 p172）

被災した音楽室（本文 p73）

不二が丘小学校東校舎（本文 p78）

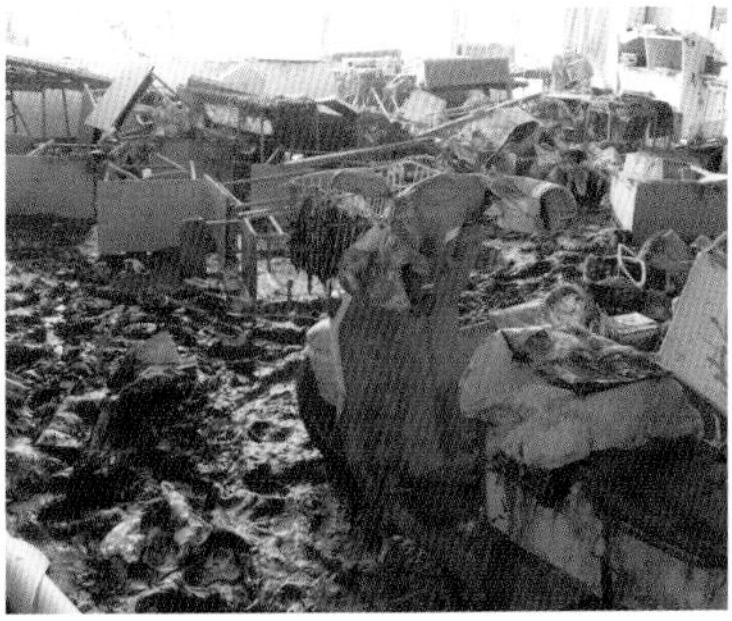

被災した教室（本文 p114）

もう一度届けられた卒業記念品（本文 p45）

階段が図書館（本文 p132）

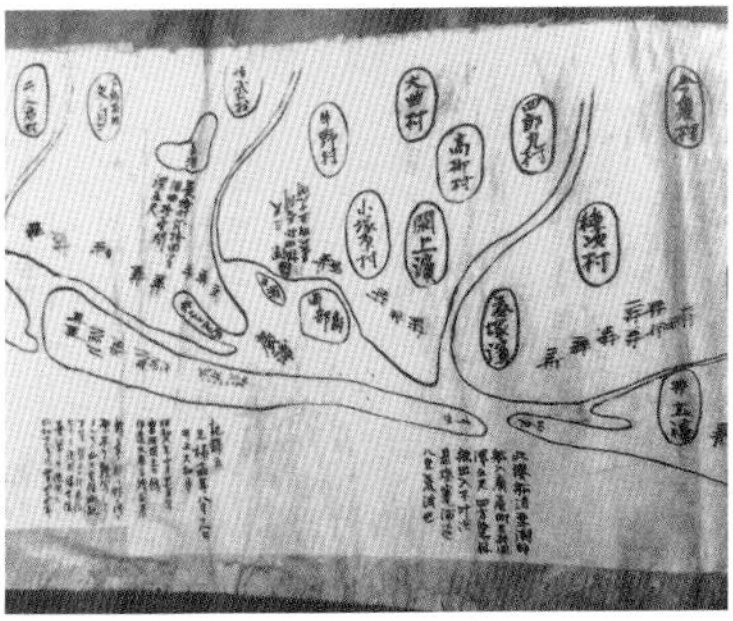

閖上の古い地図（本文 p147）

震災前の地域調査で名取川を見る生徒たち（本文 p147）

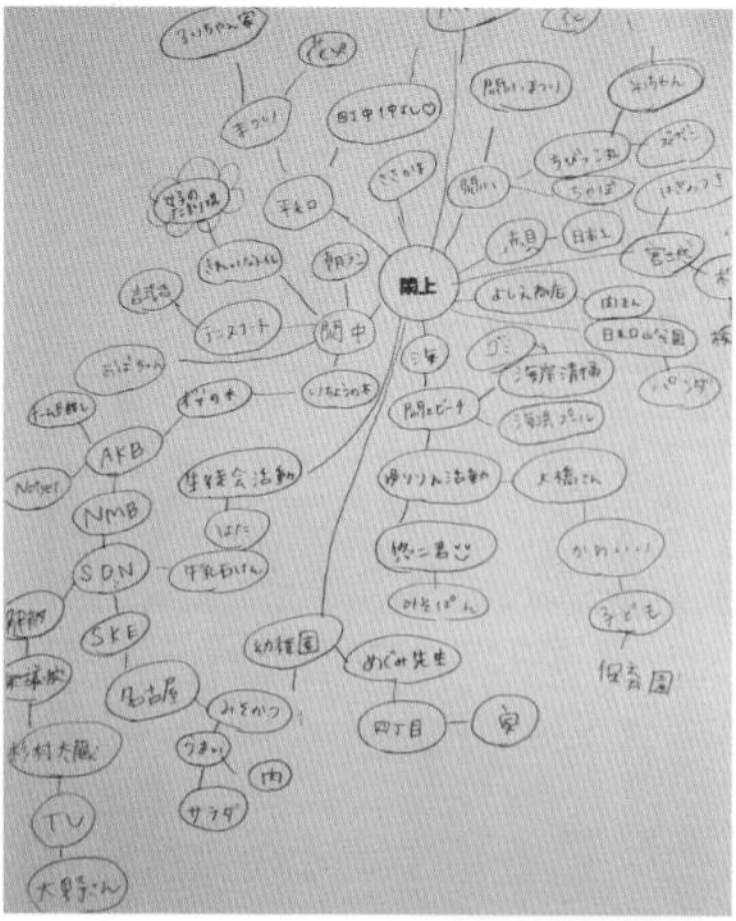

復興プランを考えるイメージ図（本文 p168）

復興プランを考えるジオラマづくり（本文 p153）

完成したジオラマ（高い防潮堤がある）（本文 p153）

復興プランを考える「ゆるキャラ　ささ貝くん」（本文 p55）

復興プランを考える「ゆるキャラ　ささむねくん」（本文 p55）

活動後の反省会（本文 p64）

仮設校舎のまわりの環境保全活動（本文 p64）

金沢市近江町市場に置かれた募金箱（本文 p160）

2011.7月に石川県七尾市で開催されたモントレージャズフェスで演奏する吹奏楽部（本文 p163）

加賀屋の女将と吹奏楽部の生徒たち（本文 p164）

（第三種郵便物認可）　河北

全員卒業

「悲しくてさみしくて」

名取　閖上中

名取市閖上中は津波で生徒14人が犠牲になった。同市手倉田の仮設校舎であった卒業式には、沿岸部の旧校舎で学んだ最後の学年が臨んだ。

卒業生は41人。高橋澄夫校長は式辞で「困難を乗り越えたあなた方はきっと大きな力をつけられる。皆さんの頑張りを、亡くなった方々が天国から応援してくれる」と呼び掛けた。

生徒らの発案で、亡くなった同級生4人の席を設けた。椅子には小さな花束を置いた。学校側は卒業証書も用意した。

答辞を述べた高橋佳弘君(15)は4人を卒業生の数に含め「わたしたち『45名』はこの閖上中学校を卒業します」と力強く宣言した。

「学校を、故郷を、そして仲間を失った。悲しくて、さみしい気持ちでいっぱいだった」と2年間の思いを語った。

仮設の体育館であった閖上中の卒業式。亡くなった生徒の椅子も設けられ、花束が置かれた＝名取市手倉田

保護者席には、亡くなった浜田瑠衣さん＝当時(13)＝の兄由治さん(16)と祖母サトさん(64)の姿があった。遠野市から駆け付けた。式終了後、高橋校長から卒業証書を受け取った。

震災の日に閖上中を卒業した由治さんは、母直美さん＝当時(39)＝も亡くした。今はサトさんの家で暮らし、遠野市内の高校に通う。

由治さんは「妹が出席できない分、代わりに出てあげたいと思った。妹の友達にも出会えたので本当によかった」と笑顔で語った。

サトさんは「孫が元気だったらと思うと、とても残念。友達と一緒に卒業できたことを仏前に報告したい」と話した。

平成25年3月10日付河北新報記事（本文p69）

もくじ

第三部　私たちのまなざし

第四部　閖上のまち（地域を知って地域の人になる）

第五部　真心の支援は全国　世界から

はじめに

「私には、三年間の学校生活を通して学んだことがあります。それは、自分が今まで当たり前だと思ってきたことは、何一つ当たり前ではないということです」

卒業式の答辞で、生徒はそう言いました。そのわずか三時間後、まさにそのとおりのことが現実となりました。二〇一一年三月十一日十四時四十六分。宮城県沖を震源とするマグニチュード九・〇、震度七の激震に、閖上の町は千年に一度という大津波に襲われました。当たり前だと思っていた故郷の風景。温かな家族との生活。友だちとの談笑。そして、卒業後の未来。その日常は、一変しました。

あれから十年。当時の生徒たちは二十代となり、すでに社会人となった人もいます。しかし―。あの時のまま止まってしまった十四人の生徒たち。私たちが生きる今日を、生きたくとも生きることができなかったあの子たち。その一人一人を、一日として忘れることはありません。

進学する高校も決まっていたのに、通うこともできなかった卒業生もいました。突然の別れに戸惑う時間さえなかった生徒たちは、多くが避難所での生活が始まりました。そんな生徒たちに全国、いえ世界から、たくさんの真心と励ましが届けられ、その真心に応えようと生徒たちは歩み続けました。

東日本大震災から十年の節目となる今、その記録を残し、空の上にいる十四人のあの子たちに届けたい。その思いで、私たちは筆を執りました。間借りした校舎で、生徒たちは驚くほど元気に生活しました。学校にいるときだけが、震災前とは変わらない空間であり時間でした。その一コマ一コマをお届けします。希望を胸に前進しようと挑戦した生徒たちの記録をご覧下さい。

二〇二一年二月十一日

ゆりあげ乙女の会　　宮本靜子

第一部　その時学校は

答　辞

若葉はのびてゆく。大空に、未来に向かってのびてゆく。

私たちも、その一歩を踏み出すときが来た。

あたたかい土の中から大地に芽吹くように、今日、私たち四十八名は閖上中学校から卒業します。

思えば三年前の春、私たちは初めて閖上中学校の門をくぐりました。期待と不安の中で臨んだ入学式。遠くに見えた先輩方の大きな背中を追いかけるようにして始まった中学校生活でした。

初めの頃は、小学校との学習の違いや部活動に戸惑いながらも、早く先輩方のようになれるようにと頑張りました。特に部活動は、ほとんどの人が初心者でゼロからのスタートとなり、軽い運動にもついていけませんでした。でも、初めて打てたボール、初めてシュートが入ったこと、初めて楽器の音が出せたこと、その喜びが私たちの励みとなり、夢中になって部活動に打ち込みました。このような生活をしていると、一日一日があっという間に過ぎていったように思います。

中堅学年と呼ばれる二年生になり、部活では、自分だけの練習がチーム全体での練習にかわり、後輩ができたことで周りを見る余裕もできました。三年生が引退してからは、新人戦・中総体に向けての具体的な目標も定まり、私たちが中心となってチームを引っぱって行きました。

このような部活での成長は、学年の活動でも活きてきました。特に相馬での野外活動では、一人一人が自分の役割を果たす、責任を持った行動をする、そういった当たり前のことを当たり前にできるようになり、私たちの良さとして表れてきました。

そして、いよいよ最高学年となり臨んだ中総体。一、二年生から積み上げてきたものを、すべて出し切りました。最後の一瞬、一秒まで仲間をそして三年間の自分の努力を信じて戦い抜きました。くしくも、自分たちの目標に届かず悔し涙を流しました。

しかし、この経験は次の活動に活かしていくことができました。三年間で一番の思い出である閖中祭では、これまでの伝統に自分たちの色を加えて最高のステージを作り上げることができました。三年生全員で踊ったオープニングのダンス。私たちにしかできないことは何だろう。私たちの良さを出せるオープニングにしたいと思い、生まれたのがあのダンスでした。練習は思っていたより難しく、ダンスが苦手な人や踊るのが恥ずかしいという人もたくさんいました。

しかし、その困難も私たちの団結力で乗り越えることができました。放課後も休日も自然とみんなが集まり、猛暑の中、練習に励みました。本番が終わった後の観客の皆さんからの大きな拍手。あの達成感と一体感は今でも忘れられません。

私たちはこれまで、自分たちが一番誇れるものは何か、探し続けてきました。私たちは、この閖上中学校の歴史の中で最も人数が少ない学年です。一人が一人分の力を出しただけでは先輩を追い越すことも、肩を並べることすらできません。だから、私たちはこれまで一人が倍の力を出し協力してきました。

中学校生活を終えようとしている今、私たちが誇れるもの、それは団結力だと自信を持って言えます。それぞれの個性を活かしその力を合わせ、一つの目標に向かっていくエネルギー。達成したときの喜び。三年間の中で、私たちは成長しながらこの仲間と発見することができました。これから歩む道は違っても、仲間と力を合わせ成し遂げることができたこの一コマ一コマは、きっと将来の私たちの力になっていくことでしょう。

私には、三年間の学校生活を通して学んだことがあります。それは、自分が今まで当たり前だと思ってきたことは、何一つ当たり前ではないということです。

二年生の職場体験で私は母校である閖上小学校に行きました。そこで見た先生方の姿に、はっとしたのです。日々の授業には私たちがわかりやすいように様々な工夫がされていること。学校生活の隅々に私たちへの気配りや配慮がなされていること。先生方と同じ方向から学校生活を見たときに、初めて気づいたことでした。

同様に周りに目を向けてみると、自分をいつも見守ってくれる家族や、そばで支えてくれる友人たちがいることもけして当たり前ではなく、とても有り難いことだと思えるのです。私たちはいつも誰かに支えられてこうしている。このことを決して忘れずに感謝の気持ちをいつも胸に一日一日を生きていきたいと思います。

日々の授業、部活動、生徒会活動など実に様々な場面で私たちを支えて下さった先生方。わかりやすい楽しい授業をして下さり、部活動では、技術的なことばかりでなく、礼儀など人として大切なことも学びました。私たちの生活が快適に送れるよう細かいことにも気を配り、時には厳しく愛情を持って私たちを育んで下さいました。先生方から学んだ一つ一つをこれから生きていく上で大切にさせていただきます。本当にありがとうございました。

また、私たちが今日の日を迎えることができたのは、いつも一番身近なところで見守ってくれた両親そして家族のおかげです。時には不安定な気持をぶつけ泣かせてしまったこと。進路の選択に苦しんだときは、一緒に悩み励ましてくれました。私たちがどんなときにも、あふれるほどの愛情で支えてくれた家族。

私たちが普段、家族から当たり前のように受けている愛情は、決して当たり前ではない、と気づかされるニュースを特に最近多く耳にします。子どもへの虐待、親への憎しみ。最も安心であるはずの親子の絆とは、人と人の関わりとは何か。そう考えたとき、今日までの十五年間、私たちがこのように成長できたのは、すべて両親、家族のおかげだという気持がこみ上げてきます。あと少し時間はかかりますが、親に安心してもらえるような人間に必ず成長していきます。

そして、ここまで私たちが成長できたのは、友の存在があったからです。小学校からの九年間、またそれ以上長い間一緒に過ごしてきた日々が、頭の中を駆け巡ります。一緒に勉強し、部活では共に汗を流し、共に喜び、感動も悔しさも分かち合い、私たちはいつも一緒でした。競い合い、励まし合ったり、時にはけんかになったことまで一つ一つがかけがえのない思い出です。これからは進む道は違っても、私たちはずっと仲間です。閖中での思い出を大切にし、互いに成長していきましょう。

最後に、これからの閖中を作っていく後輩の皆さん。これまでの先輩方が守り築き上げてきたこの伝統ある閖上中学校を託します。名取市内で最も人数が少ないからこそ生まれる団結力、一人一人の明るさ、そして素晴らしい挨拶が響く閖中の伝統を受け継ぎ、更に素晴らしいものにしていって下さい。学校生活を送る中で、常に周りの人への感謝の気持ちを大切にして下さい。けして楽をせず、勉強にも部活にも真っ正面から取り組む皆さんであって下さい。

今しかできないことに挑戦し、その中から自分にしかつかめない大切な何かを見つけていってほしいと思います。それができれば、皆さんの中学校生活は、これからの人生の中で輝き続け素晴らしい財産となるでしょう。

そんな皆さんが作り上げる生徒会は、会長を中心にして一人一人が精一杯さまざまな活動に取り組み、閖中を今より素晴らしい学校に成長させていくものと確信します。

今日、私たちは、この閖上中学校を卒業します。それは、長い間一緒に過ごした友人や三年間お世話になった先生方との別れを意味し、寂しいことではあります。

しかし、それは、私たちが大人への第一歩をスタートさせるということでもあります。その第一歩を踏み出す私たちの卒業式を、このような素晴らしい形で迎えることができたのは、私たちを温かく見守って下さった先生方、家族、地域の皆さん、すべての人たちの力があったからです。

本当にありがとうございました。今日の日を迎えることができたことと、私たちをこれまで支えて下さったすべての人たちに感謝して、答辞と致します。

平成二十三年三月十一日　平成二十二年度卒業生代表　木皿武宏

その日は卒業式

宮本靜子

閖上中学校第六十四回卒業式の日。一生涯、忘れられない日になった。

朝五時に起床。最後の学年便りを作り終えたのは一時過ぎ。四時間しか寝ていないが、式が終わればほっとできる、そう思って力を振り絞った。

すぐ美容院へ向かう。「卒業式ですから、生のお花も使いますよ」と髪には蘭を飾ってくれた。少々目の下のクマが気になったが、何とかいける。次は着物の着付け。三年前に亡くなった母のお気に入りの着物を着るのは初めてだった。着付けをお願いしたのは、母がお世話になった着付け教室をしている先生で、少々あったしわを丁寧にアイロンで伸ばして下さった。ありがたい。「とても似合いますよ。お母さんに見せたいね」そう言われると、母も卒業式を祝ってくれているような気がした。「夕方、また来ます」卒業式後に着替えをするためにそう言って別れた。その着物姿で、避難者の誘導をすることになるとは、その時は考えもしなかった。

学校に着くと、卒業式の最後の準備に取りかかる。式後の保護者から教員への花束贈呈に関する分担図、さらに最後の学年PTAでの会計報告などの資料、昨夜遅くまでかかってつくった学年便り、これらを教頭先生に確認してもらってから印刷をする。花束が届くと、渡しやすい場所に移動させる。

いよいよ卒業生入場。廊下に並ぶ卒業生。「さあ、行くよ！」そう声をかける。二人の担任の先生方を先頭に会場の体育館へ。前日、後輩たちが真心で飾り付けをしてくれた会場。「卒業生が入場します」生徒たちは晴れがましく入場した。吹奏楽部の演奏に合わせて。

「只今より、平成二十二年度第六十四回卒業式を挙行いたします」この体育館で行われる最後の卒業式が始まった。

入場から卒業生退場まで、生徒たちは立派だった。「感謝の心で最高の卒業式を」この学年のスローガンどおりの姿だった。女子は涙で歌えない。その分、男子が頑張って歌い上げた。四十八名の卒業生。文化祭のステージでは全員でＡＫＢ４８の『会いたかった』をみんなで踊った学年だ。三年間の思い出が一つ一つ蘇る。笑ったことも、泣いたことも・・・。

式後の学活は、いつになく長かった。あるクラスでは、サプライズの歌を用意していた。担任の先生が知らないところで練習していた『３月９日』。お世話になった先生に感謝の気持ちを伝えたい。一人一人の顔は、その思いでいっぱいだった。その様子を、学習支援を担当していた職員が録画していた。それは震災後ＮＨＫの番組で取り上げられることになる。

卒業式後の教室で

また、あるクラスでは、担任の先生の言葉に保護者からも温かい拍手があった。数人の生徒が先生の方へ歩み寄り、静かに話を始める。見守る生徒たち。そして、一人一人が先生と握手を交わすと笑顔と拍手が広がった。どちらのクラスも一人一言ずつクラスのみんなへの感謝の思いを伝える時間を用意していた。親への感謝の言葉には、教室の後ろで見守る保護者の目にも涙。学校で過ごす最後の時間は、笑顔あり涙ありの最高の時間で、本当の卒業式の姿がここにあった。

校内に『蛍の光』が流れる。もう下校だよ、の合図である。後輩たちの拍手に見送られて、家路についた卒業生たち。時計を見ると午後一時を過ぎている。一時半からは、閖上公民館の敷地内にある「働く婦人の家」で保護者主催の「卒業を祝う会」が予定されていた。参加を希望する保護者と生徒がそこに行っている。小学校の卒業の時にこのような会ができなかったので、と中心となって企画して下さった保護者が言った。先生も是非、と誘われて私だけが会場に向かった。時間は二時半を過ぎていたが、会場の入り口である保護者が私を見て「先生、こっちです」と案内して下さった。二階の大広間につくと、拍手が広がった。多くの保護者と生徒たちがいた。すぐ挨拶をする。「本当にみんなは、私にとって自慢の生徒たちです」そう言うと、三年間という時間が蘇ってきた。

一年生の時の学年主任は病気で亡くなった。教員としてこれから、という時だった。葬儀に参加する生徒もいた。数日後、学年全体が集まる場面で、「学校には出会いもあればお別れもある。突然のことで悲しいね。でもみんなは立派にお見送りをしました」と告げた。静かに話を聞く生徒たち。学年全体で四十八人というのは、名取市内で最も少ない生徒数だった。中総体や駅伝大会、コンクールなど、人数が少ないことでのハンディはあったが、それぞれに精一杯頑張ってきた学年だ。

中学校の三年間は、友だちとの関係に悩む時期でもある。時にはクラスに不協和音が流れることもある。それでも、卒業式の後の最後の学活で、最高の時間を刻むことができた生徒たち。どう表現すれば良いか、と思ったが「自慢の生徒たち」と言う言葉が出た。花束をいただいて、用意されたお弁当もいただこうかな、と思ったその時だった。

震災直後の職員室

震災時刻で止まった時計

時間は二時四十六分。「あれ、地震だね」少し建物が揺れた。その直後、これまで経験したことがない揺れが始まった。テーブルのお弁当や飲み物が吹き飛ばされた。部屋全体が、嵐の中の船のように揺れ続ける。それは、長い時間続いた。ある生徒は怖がって窓にしがみつこうとするが、立っていられない勢いである。私の後ろにあったホワイトボードが倒れてきたので、必死で押さえた。私たちは何度も何度も右に左に大きく揺られて、その都度叫び声が響く。

卒業を祝う会の大広間は騒然となった。ある保護者が携帯を取り出し情報をつかんで叫んだ。「大変だ！六メートルの津波が来る！」緊急ニュースがそう伝えているという。

すると、公民館長の恵美先生（元閖上中学校長）が会場に来て「皆さん、ここはこのままで良いから、すぐ避難して下さい！」と言った。公民館や働く婦人の家は、かつて学校だった場所なので、建物の前には校庭部分が広くあった。そこに、続々と避難する人たちが集まりだしてきた。

これまでも大きな地震があったときは、閖上中学校が避難場所になるので、「すみません、学校に戻ります。みんなまた会おうね」と言って別れた。それが最後になる生徒や保護者がいるとは、全く思わなかった。

学校に戻ると、八森先生が、「良かった。宮本先生、戻ってきたね」と言ってくれた。

地震があったとき、職員の安否確認をしたところ校内に居なかったのが私だった。「驚かないでね」と言われて職員室に入ると、いつもとは全く違った場所になっていた。学年ごとに並んでいた机はバラバラに移動し、床の上は足の踏み場もないほどプリントや書類が散乱している。卒業記念品も転がっている。これは大変だと思った。

しかし、本当に大変なのはここからだった。

「大津波がやってくる」と、地域の方々の避難が始まった。校舎にどんどん上がってくる人たち。卒業式二日前にピカピカに磨いた床は、あっという間に汚れていく。それが、水を含んだ泥になった時、「えっ？？」と思った。ここまで水が来たということは・・・。

その時、避難者の様子が一変した。昇降口から「早くしろ！！」「何してるんだ！！」と、さっきまで助け合って避難していた人たちが大声になる。二階の職員室前の廊下から、川のように流れていく津波を見た。それは濁流となって、さっき運転してきた私の車がふっと浮いて流されていくのが見える。そういうことか、今、目の前で起きているのは。もう終わりか、そう思った。

いや違う。もしあの車の中で運転していたら確かに終わりかもしれない。でも、私は今ここにいる。ということは、もし車の中にいる人、走って避難しようとしている人たちがいたならば・・・。頭の中にいろいろな人の顔が浮かんでいく。そう考えているうちにも、次々と避難してくる人たちの対応をしなければならなかった。

校舎内に避難してきた人たちは、着の身着のままで必死にここにたどり着いた人

被災した校舎「三年生ありがとう」とある

たちである。高齢の方も若い人たちもいるが、生徒の姿が少ない。どこに居るのか。気がかりだった。津波を想定し、校舎三階以上の教室が避難場所になっていた。三年一組の教室は老人ホームからの避難者、三年二組から被服室までは一般の方々が避難し、ある教室には百名もの人でいっぱいだった。座るのが精一杯のスペースで、横になることはできない。校内は停電している。明るいうちにどこまで手を打てるのか。

そう思って校庭を見ると、さっきまで避難者が運転してきた車が一台もない。入学式の季節にクラス写真を撮った桜の木も、ほとんど流されてしまった。その代わりに、船がある。海岸にあったはずの船が校庭まで流されてきたのだ。その数は次第に増えていく。

夜になると、校舎内は暗さと寒さとの戦いになった。三月の東北はまだ寒い。おまけに雪まで降ってきた。外はマイナス三℃。屋上に上がると、真っ暗の中、火災が起こっている所だけが明るい。そこには、無言でその様子を見つめる人たちがいた。ある生徒がそばにいた。「俺んちの方です」その家は、確かに貞山運河沿いにあった。とてもおしゃれで素敵な家だった。「親があの中にいるかもしれない」そうつぶやいた。何と声をかけたら良いか。そしてそれは、本当だということは後でわかる。その子は両親を亡くした。

夜中、たくさんの人たちを救出した。「助けて下さーい」の声に「どこですかー」と尋ねる。二階の職員室前の屋根をつたって助け出せた人もいた。車の中から数人の人たちを助けたのは、生徒たち。「ありがとう。本当に」一瞬一瞬が生と死を分けたのかもしれない。一人でも多く助けたい。その思いでいっぱいだった。

気がつくと、知らないうちに校長室はペットたちの部屋に。カウンセリングルームは、数名の人たちがゆったりソファーに座っている。ある教室に百名の人たちが身を寄せ合っていることを思うと、どうにかできないものかとも思ったが、いったんその場に落ち着いた人に、その時は移動してもらう余裕もなかった。

避難者の方々も、私たちも食べるものがほとんどなかった。ペットボトルもおにぎりも届かない。備蓄していたビスケットが、翌日の夕方まで口にしたものだったと記憶する。でも、不思議と空腹は感じなかった。

この地震は、三陸沖を震源とする国内観測史上最大のマグニチュード九・〇の巨大地震。この地震により、宮城県栗原市では震度七、名取市では震度六強を観測し、北海道から沖縄にかけての広い範囲で津波を観測するほどの超巨大地震だった。平成七年一月十七日に発生した「阪神淡路大震災」の一八〇倍のエネルギーが噴出したという。

津波襲来直後の昇降口（2階から撮影）

ラジオからは、「仙台市の荒浜では二百~三百人の死体が海岸に打ち上げられた」「南三陸、女川、石巻など壊滅状態の町が宮城を中心として広がっている・・・」という内容が放送されている。閑上は、一体どうなっているのか。災害現場にいながら、状況がつかめない。

避難者は津波の中を避難していて、体は冷えている。職員は次々と個人のロッカーから、着替えをしてもらうためにジャージや洋服を取り出し、差し出した。「すみません」と受け取る人たち。着替えになる物は何でも利用した。部活動でのユニフォームや給食の白衣も。しかし、圧倒的に足りない。そこで、カーテンをすべて取り外し毛布代わりにすることにした。白衣やカーテンを切り裂く音が続く。事務職員の岩佐先生を中心に、みんなで協力してつくった「タオル」は、ずぶ濡れで避難してきた人たちの体を拭いたり、上着代わりにもなった。

校内は停電している。真っ暗な中、各教室の避難者の確認をするために、懐中電灯とアルミホイルを持っていく。黒板にアルミホイルを張って懐中電灯を当て、少しでも明るくしようとする工夫だった。教室に入ると一斉に視線が注がれる。中には、お年寄りで薬が必要な人もいたが、持参していない。その人たちには、砂糖と水を差し上げた。中には、「ここは、避難所だろ！何で毛布も食べ物もないんだ！！」と怒り出す壮年もいた。備蓄はしていたものの圧倒的に足りない。「申し訳ありません」と詫びるが、そういう人はわずかで、ほとんどの人は無言だった。

緊急事態を伝えるラジオ放送が流れ続ける。それを身動きせず聞いていた。後にある生徒は、「もちろん津波も怖かったけれど、それ以上に怖かったのは大人が誰もしゃべらずじっとしていたことだった」と作文に書いている。

激しい余震が続いていた。一生で一番長い時間が続く。

何人かの三年生が職員室に来た。卒業式を終えた三年生である。いつもなら元気よく「失礼します！」と言って名前を告げて入ってくる職員室だが、状況は全く違っている。「先生、卒業を祝う会で食べなかったお弁当･･･。教室にたくさんの人たちが避難していて、誰も食べ物なんて持ってきてないから・・・。自分だけ食べるなんてできません」そう言って泣き出した。「何も悪くないよ。職員室にいらっしゃい。ここで食べなさい」そういうと、ほっとした表情で、弁当を取りに行って職員室へやってきた。

さっきの表情とは違う。避難者がたくさんいる教室は、ほとんど誰も話すことのない緊張した空間。しかし、職員室は打ち合わせや指示が飛び交い市役所の職員もいる。ここはしゃべっても良い場所だった。中学生の男女が、夜遅い時間に職員室にいるのだ。不思議な光景だったと今は思うが、その時は何も思わなかった。だんだん生徒たちは、元気にいろんな話をし始めた。「もう少し、小さい声で話しなさい」ハイ、と言う生徒たちに少し笑顔が戻っていた。

暗い廊下に人影がある。よく見ると、トイレの前で体育座りをし続けている男子生徒だ。「寒いから教室に入ろうよ」と声をかけても全く動かない。地震の後、友だちとしばらく外で遊んでいたところに津波が襲来。自分は何とか逃げ切ることができてここにたどり着いたが、友だちがいない現実。その子は一晩中、その姿勢で過ごしていた。

道路に打ち上がった船（震災翌日）

夜中に、生後二ヶ月の赤ちゃんが若いお母さんと一緒に避難してきた。「頑張りましたね」そう声をかけた。お母さんは、うつ病の薬を持っていた。地震直後に飲料水を確保しようと、学校内のポットを集めてためていた水が役に立った。

その後も何組もの人たちが、寒さに震え泥だらけになりながら非常階段を上ってきた。午前三時四十分ころ、また一組助け出すことができた。職員室で円形に並べた椅子に座り仮眠していたが、避難者が来ると、一斉に動く。その繰り返しが続いた。眠ることはできないな、と机の脇に横になってみた。床が冷たくて堅い。しかも何度も余震がやってくる。揺れているのが普通になってきた。今は、何時頃なのだろう。

翌三月十二日、だんだん外が明るくなってきた。職員室から校庭を見ると自衛隊が来ている。二階の職員室からは、あちらこちらで家の中や屋根で手を振る人たちが見えた。「あっちに人がいますよー」「そっちにもいますよー」と教える度に、手際よく救助していく隊員たち。本当に心強かった。また、重なり合った車の中から、助けられた人もいた。どんな思いで一晩過ごしただろう。

六時頃、校舎内を回ってみる。このとき、閖上中学校には約八五〇名の方々が避難していた。まず、トイレ。完全に詰まっている。とにかく臭い。汚物の匂いと泥やペットの匂い。簡易トイレを出すが、とても足りない。汚物の処理は、本当に大変だった。次は、各教室の巡回だ。教室に入ると、一斉に視線が集まる。何を話せば良いのか。一瞬、考えた。「おはようございます。みなさん、大変お疲れのことと思います。さまざまご心配のことと思いますが、大切なことは、今皆さんは生きていらっしゃるということです」と話した。

昇降口前の様子（震災翌日）

ラジオからは、おびただしい数の人たちが海岸に打ち上げられているという様子が伝わってきた。離ればなれに避難した家族が心配だという人たちが、たくさんいらっしゃるだろう。でも今、自分は生きているということをかみしめていただきたかった。私たちの声を、真っ直ぐ見つめて聞いて下さる姿。避難所を運営させていただく重みを、かみしめた。

保健室に一人の若い女性がいた。「あ、具合が悪いんですか」と言うと、「いえ、…先生方ばかりに苦労をかけて申し訳ないです。何かお手伝いすることはないかと思って・・・」そう小さな声で、私たちを見つめた。このようなときに、そう考える人もいるのかと心が温かくなった。

約八五〇人の避難者は、被害が少なかった別の避難所に移動することになった。確かにここは、食べ物も少ない。ビスケット一枚を数人で分け合うほど避難者に対して食料が不足していた。移動するにも、校舎前はがれきや流されてきた車や家で塞がれている。道路のようなスペースがないと、大型バスは入れない。ここでも、自衛隊の方々が大変な作業して下さり、道路を作って下さった。次の避難所では、炊き出しもあるという。その移動計画を立てているときだった。

いつも気丈な古積先生が泣いている。はじめは家族と連絡がつかないからかな、と思っていたら違った。「あの子がいないらしい。亡くなったかも・・・」その時初めて、生徒が亡くなる、ということが現実になることを知った。一人一人の生徒の確認をすると、卒業生の四十八人中二十一人しか確認できない。ここにも閖上小学校にもいないということは、一体どこにいるのか。ある生徒が言った。「〇〇君が、濁流に流されそうになっているのを見た。でも、力尽きて流れていったかも・・・」笑顔が似合う姿が目に浮かんだ。卒業式の日に、こんなことが起こるなんて・・・。涙が、こんなに出るとは思わなかった。

数日後、彼が生きていることがわかった。本当に嬉しかった。自衛隊に救助された時に低体温のため病院に搬送され助かった。その病院は偶然にも義姉が勤めていて、その様子を知ることができた。しかし、家族がすべて津波の犠牲となった。三月十一日は、彼の誕生日だった。そのケーキを買いに行く途中に津波に巻き込まれたのだ。

その後、祖母が引き取り、合格した高校から他県の高校に編入して、立派に卒業した。現在は希望どおりの仕事に就き元気に頑張っている。その様子は、ＮＨＫの朝のニュース番組で全国に伝えられた。

翌日の朝の職員室前の廊下は、多くの人たちが情報を集めようと集まっていた。ある卒業生がいた。「先生、お久しぶりです」高校三年生の彼女は続けた。「今日、大学入試の後期日程なんです。宮教大を受ける予定だったんです。社会の先生になりたいんです。先生のような・・・、でももうだめです。それにきっとお父さんはもういないと思うんです」私は何の根拠もなく言った。「そんなの、まだ分からないでしょう。大学はまた来年受ければ大丈夫だよ。生きていれば何とかなるよ」彼女は、小さくうなずいた。

その子と再会したのは、遺体安置所だった。避難を呼びかけているさなか、お父さんは亡くなったという。受け入れがたい現実。

教育実習生として母校に戻ってきた卒業生

震災前はボウリング場だった建物は、遺体安置所となっていた。入り口には、白い菊の花が長机の上にたくさん置かれている。この花は、ある生花店の団体から支援されたものだと掲示されていた。人々は無言で数本の花を受け取ると、入り口に掲示されている「○○レーン　○歳前後　服装は○○」という一覧表の情報を頼りに、その場所を目指していく。棺の顔を確かめると泣き崩れる人、うなずく人、棺をなでて声をかける人、無言の再会の姿がそこにあった。

「お父さんがいました」彼女は小さく言った。かける言葉が見つからない。肩に手をかけ、さするのが精一杯だった。

その後大学生となった彼女は、教育実習生として母校閖上中学校（仮設校舎）に戻って来た。自宅を津波で失い、仮設住宅でお母さんを励ましながら日々の授業のために、毎時間の略案を作って授業に臨んだ。「狭い仮設住宅は、壁が薄くて隣の声が聞こえるの」と、生徒から聞いていた。その中での準備は、大変だっただろう。彼女は、笑顔で毎日の実習に取り組んだ。授業が終わると振り返りを丁寧に行い、研究授業も立派に行った。

実習最終日、彼女が校長先生に「ありがとうございました」と挨拶をしたとき、校長先生から風呂敷に包まれた贈り物があった。何だろう、と開けた彼女は号泣した。額縁に入ったお父さんの写真だった。ＰＴＡ会長をしていたお父さんの写真は被災した校舎の校長室に、代々のＰＴＡ会長の写真と一緒に並んでいた。それをきれいに拭いて準備していたのである。「お父さんも見守っていましたよ」と校長先生。「ありがとうございます」大粒の涙を流して受け取る彼女。今、仙台市の小学校教諭として明るく頑張っている。

閖上を襲った津波の高さは、九・〇九メートル。到達時刻は十五時五十二分。地震発生から約一時間後であった。お亡くなりになった方は、名取市では九百二十三名（平成二十六年三月三十一日現在。関連死も含む）。

心からご冥福をお祈りします。（参考：『名取市における東日本大震災の概要』：名取市）

第二部　一年間の歩み　～前を見つめる生徒たち～

合格発表の日

宮本靜子

名取市役所六階の会議室が臨時職員室となって、十日ほど過ぎた。会議用の長い机を四～五人で使い、コピー機やファクスは同じ階の教育委員会に出向いて使わせていただいた。職員室内にあるのは電話が一台。それが使用中だと、教育委員会の電話を借りることになる。

三月二十二日の主任者会では、生徒の安否、翌日の公立高校合格発表の動きやこの臨時職員室の使い方について伝えられた。県教育委員会の高校教育課に問い合わせると、被災生徒については公立高校の入学金や二次募集の入学検定料は免除されるという。その他、生活支援についても順次取り組んでいくとのことだった。

三月二十三日、公立高校合格発表は各高校で十五時に行われる。普通なら、受験した生徒は制服でその高校に出向き、合格した場合は入学に関する書類等を受け取る。しかし、生徒たちはほとんど避難所の体育館にいる。高校に行く交通手段もない。だからといって教員の私たち全員の車も津波で流されているため、高校に出向くことができない。かろうじて市役所（臨時職員室）から近い名取北高校では、県農業高校の合格発表も行うとのこと。県農業高校は海のそばにあったため、閖上中と同様に校舎が水没してしまったためだ。

名取北高校には、担任の先生二名に行ってもらうことにした。他の高校については、十六時に各高校のホームページで確認するしかなかった。その結果を集約したら、合格者に知らせる。通常は、合格者にこちらから電話することはない。逆に「合格したからといって学校に電話しないように」と、これまでは伝えていた。不合格者への対応のためである。

しかし、今回は違った。まず合格したことを伝える。その後に不合格だった生徒に伝えて、今後どうするのか確認する。例年なら保護者とも確認して、場合によっては二次募集の出願のために学校に出向いてもらう流れだが、それが全くできない。市役所の職員にお願いして十六時にパソコンをお借りする。集約後は電話もお借りする。毎日そうやってお世話になってきた。特にこの日は、合格者へそして不合格者への連絡・確認が遅くまで続いた。

三月二十五日、各高校にファクスを送った。

「この度の東北関東大震災（この頃はそう呼んでいた）で、本校も被災し学校の復興に向けて全力で取り組んでいるところです。つきましては、誠に恐縮ですが、以下の点についてご連絡いたします。

◎本校職員室は現在「名取市役所六階」に臨時職員室として開設しております。

◎公立高校一般入試の合格証の受領について、どのように受領すれば良いかお知らせいただくようお願いいたします。職員の車も津波で流され高校に出向くのが困難な状況にあります。ご配慮いただければ有り難いです。

◎入学予定者の「入学準備物」についても、ほとんどの生徒が現在避難所で生活している状況で、高校に出向くのが困難となります。この点についても、どのようにすれば良いかお知らせいただければと思います。

早速、数校の先生が書類を届けてくれた。有り難かった。普通は生徒が受検票を見せて受け取るのだが、それも津波で流されている。一つ一つがいつもどおりには行かない。どうすれば良いかを考えて、動く必要があった。それは、しばらく続くことになる。入学関係書類を集められる見通しが立った段階で、合格者には三月三十日以降に入学関係書類を臨時職員室に取りに来るよう伝えた。また、合格を果たしたのに亡くなった生徒がいる。合格通知書を保護者に届けたかった。葬儀に間に合うように。

　また公立高校に合格したものの、家族を失った生徒たちがいた。保護者の居ないところで、子どもだけで生活することは困難である。高校に行くためには、どうすれば良いのか。名取市の社会福祉課や宮城県中央児童相談所に相談する。いったん合格した公立高校に入学する形で他の公立高校に編入できるかは、県教育委員会の高校教育課に問い合わせた。とにかく、高校に入学してほしい。希望をつないでほしい。その気持ちだった。

　その生徒たちは、高校入学を果たし、三年間頑張った。そして現在、希望の会社へ入社して立派な社会人となっている。きっと、お父さん、お母さんが空から見守っているのだろう。それほど、成長した姿なのである。

東京の中学生からの贈り物

宮本靜子

震災発生からほとんどの生徒が、避難所生活をしていた。津波で自宅を流されたためである。どの避難所に誰がいるのか、名簿を手に私たちは一人一人を確かめに回った。教職員全員が、津波で車は流されている。避難所から次の避難所まで一時間は当たり前で、時間の感覚を忘れるほど歩いた。

そこには、段ボールで仕切られた畳三畳ほどの空間に、家族と一緒に居る生徒たちが待っていた。私たちの顔を見るとほっとするような表情の生徒たち。わずかな時間だが、「どうしてた？」「具合はどうかな。大丈夫だった？」と声をかけていった。

ある生徒は布団から出てこない。父親が見つかっていないのだ。おばあちゃんが、「せっかく先生が来ているのに。ほら、元気ですって言いなさい」と言った。そう言いながら、悲しそうな顔をしているおばあちゃんを見て、胸が詰まった。「また来るからね」そう声をかけて体育館を後にした。

少しずつ生徒の状況がつかめてきた三月末、各避難所となっている学校の教室をお借りして「学習会」を行うことになった。三月三十日、四月五日〜七日の四日間の学習会では、一人一人の顔を見て、どんな様子なのか、困っていることはないかを確かめたかった。最初の学習会は、蜂谷先生が岩手の実家から借りたという軽トラックに乗せてもらい、名取第二中学校に向かった。そこには、第二中学校と増田西小学校に避難している生徒たちが来ることになっていた。

教室に入ると、もちろん全員が私服である。支援物資が各避難所で配布されており、体のサイズに合ったものを着ていた。思ったよりも明るい表情だったのが救いだった。学習会と言っても、自宅を流されているため、教科書も文房具も何もない。まだ、支援物資も届いていない状況の中で、ある生徒の知り合いという東京の一人の女子中学生から、たくさんの文房具が届けられたので、そこで渡すことにした。ノート、消しゴム、シャープペン、鉛筆、定規、メモ用紙・・・。段ボール箱数箱にもなる量である。一人の中学生がどうやってこんなにたくさんのものを集めたのか、と驚くほどの量であった。「東京の中学生から、皆さんに手紙と共にたくさんの文房具が届けられました」と、その手紙を紹介した。

被災地の皆さんへ
今回の震災において、被災された皆さんに、心よりお見舞い申し上げます。

私は東京に住んでいて、中学三年生になります。私は、日本がこんなことになるなんて思ってもいませんでした。それは、日本中の国民、または世界各国の人々も、同じことを考えているんだと思います。

今、東京や他の県では、計画停電を行っています。私も節電を心がけ毎日を過ごしています。中学生の私では、節電をする、物を被災地に送る、義援金を寄付するなどということしかできません。とても歯がゆく思いますが、それが今の私にできることなのだと自分に言いきかせ、毎日を送っています。

今、避難生活をしていて、辛い方もいっぱいいらっしゃることと思います。今の私に言えること、それは、「明日はおとずれる」ということです。いくら辛くても、今を頑張って生きていればきっと幸せがこの先に待っていると思います。神様も、不公平なことはしないと、私は信じています。だから、今を乗り越えてほしいと願います。まだ、十五歳の、まだまだ未熟な私の手紙を読んで下さって、ありがとうございます。「今」を大切に、毎日を、日本中の世界中の人と一緒に生きていきましょう。応援しています！！

この手紙を、生徒たちはじっと聞いていた。静まりかえった教室で、返事を書くことにした。彼女からいただいた文房具で。そこには、あの日体験した、驚くような内容もあった。

感謝の手紙を書く生徒たち

この度は、私たちに今足りない文房具をたくさん寄付して下さってありがとうございます。三月十一日の津波で、私も家が流され、友だちを亡くしてしまいました。あの時から三週間もすぎてしまいましたが、私たちの心には暗い闇があります。

私は、津波から逃げる途中、あと一歩で逃げ切れるところで流されそうになりました。安全なところにいた友だち二人に体中をつかまれたので、流されませんでした。しかし、助けられながら見たのは、何百台もの車、何トンもありそうなコンテナ、船から漏れた重油に引火し残った家やゴミをつたい大火事をおこしているところでした。

その後、水は少し引いたものの、まだ燃えている家や車に乗っていた人の死体を見てしまいました。今でも、余震が起こるとあの津波が起こした大惨事がフラッシュバックして体が震えることがあります。

しかし、今回の心のこもった手紙とやさしい心での寄付で、私たちにも、一人じゃないという希望が生まれました。もう、起きたことは変えられないけど、これからを変えていこうと、あなたの手紙で気づかされました。本当にありがとうございました。

僕は、初めて津波を体験しました。友だちの家から小学校に逃げようとしました。しかし、小学校に着いたときには津波が来てしまいました。急いで二階に逃げようとしましたが、色々なものが流れてきて前に進めなかったので、窓に捕まっていました。あと十秒遅かったら、津波にのみ込まれていました。僕はこれから精一杯生きていこうと思います。

私は、正直この生活は苦しいです。勝手に物を盗む人もいれば、自分勝手な行動をする人もいます。それを見たり聞いたりするといらいらしてストレスがたまっています。

私は、学校で必要な物はすべてありません。津波が来る前の私は、すごくぜいたくをしていたな、と思います。今は、きらいなものが食べられるようになったし、他の人のために何ができるだろうと考えるようになりました。いろいろな県の人たちに助けてもらってすごく嬉しいし、一人じゃないんだなって思います。なんてお礼したらいいのか・・・。

あたたかい手紙ありがとうございます。一生懸命文具を集めたと先生から聞いたときは、ものすごく嬉しかったし、こんなにいっぱいもらってもいいのかなって思ったくらいです。
これからも大変なことはありますが、私はあきらめずに頑張ります。これからも応援して下さい。本当にありがとうございました。

僕は、初めて津波を経験しました。中学校に避難した後、自分に何かできないか考え、車椅子のおじいさん、おばあさんを上の階にあげる手伝いをしました。僕は、できる限りのことはしたと思います。これからも頑張って他の人の分まで生きたいと思います。

僕は、今回の地震、津波で家、友だちを失いました。避難しているときに津波に遭いギリギリで間に合い助かりました。あと十秒早かったら海水に浸らずに避難できたと思います。あと三十秒遅かったら助かったかどうかは分かりません。何もなくなったけれど、家族は無事だったのでよかったです。僕は、支援してくれている人たちのためにも、今を精一杯生きようと思います。

閖上の町をまるまるのみ込む津波をまのあたりにしたとき、恐怖しかありませんでした。とにかくどうすることもできなくて、友だちと話をしていないと気がまぎれませんでした。いつもよくしゃべるお父さん、いつも冷静で笑顔のお母さんたちが、全くしゃべらずに、暗い顔をしていました。津波より、それが怖かったです。

十一日の閖中は、午前中卒業式が行われました。午後から友だちの家で遊んでいたら急に揺れはじめ、こたつに隠れて揺れが収まるまで待ちました。中学校に避難したときは、まだ中学生が私一人しかいないので少し不安でした。でも一人の先生が来てくれて、一緒にいたので安心できました。少し時間がたち、中学校に避難した人も多くなってきたころ、ある人が大きな声で「津波だ！！」と言ったので、海のほうを見たら、友だち、家、地域の方々を、波が呑み込んでくるのを見たとき、その場に倒れそうになったけど、「これが現実なんだ」と自分に言い聞かせました。仲の良かった友だち、先輩が亡くなってしまったけど、その人たちの分まで、今生きている自分を大切に生きたいと思います、「頑張る」などと言う言葉は使えませんが・・・。

僕は、津波が来たとき、何がどうなっているのか、よく分かりませんでした。目の前で車が流れていったり、人が助けを呼んでいたりするところ・・・、もう、どうしてよいかわからなくて、今でも思い出すと心が折れてしまいそうです。でも、この手紙を聞いて僕は、とても気持ちが楽になりました。それに、文具を寄付していただいてものすごく助かりました。本当にありがとうございました。

被災した日から、三週間以上たっているのに、心の中ではあの日のままです。学校の勉強も途中で、部活でもまだまだこれからみがいていかなきゃならないことがたくさんあって、亡くなった友だちや地域の方々を思うと、すごく不安な気持ちになります。でも、このように応援してくださる方がいると、不安な気持ちがどっかにいって前向きになれます。今、東京などで行っている「計画停電」も辛いと思います。私たちも停電や水が止まっていたところから、電気がついたり、水が出たりしたときは、本当に嬉しくてありがたみがよくわかりました。応援してくださり、ありがとうございました。私は、かなりの勇気をもらいました。この勇気を使わせていただいて、今、自分にできることを一生懸命やって生きたいと思います！

私は、海に面しているところに住んでいるので、家が流され、すべてなくなってしまいました。大変な生活が続きますが、このようにたくさんのものを寄付して下さる日本中、世界中のみな様に、心の底からありがとう！とてもうれしいです。今回のことで私が学んだことは、「本当にいちばん大切なものは何なのだろう」ということです。友だちや親せき、生活する上で必要なもの・・・すべて失って初めて気付きました。落ち込むこともあるけど、このように応援してくれるので、前向きに頑張ろうと思います。さすがにACのCMはあきてきたけど、感謝です！ありがとう。ほんとうにありがとウサギー。

このたびは、私たちのために手紙やノートなどの寄付をありがとうございました。今回の震災で、私の同級生やその家族、先輩や後輩、町の人々などたくさんの人が亡くなりました。まさかこんな被害を受けるなんて、だれ一人思っていなかったと思います。

私の通っている閖上中学校では、震災の日、三月十一日に卒業式がありました。三年生をおくりだし、卒業式が終わりその後帰宅したときに地震がおこりました。これから新しく高校生としてデビューするはずだった三年生、その日で話すのが最後になってしまった同級生、そして後輩の一年生、閖上中学校だけでも十人以上が亡くなりました。

　まだ、このことを受け入れられずにいる人も多くいます。家族を失い、立ち直れない人もいます。ですが、このような皆さんからのメッセージは、私たちにとってとても励みになります。勇気をもらいます。そのおかげで、私たちも少しずつではありますが、前に進もうとしています。私たちが今できることは、亡くなってしまった人たちの分までりっぱに生きることだと思います。手紙やノートなどを、本当にありがとうございました。


　長い時間が、教室に流れた。中には、一時間以上もかけて書く生徒もいた。

　ある生徒が書いているように、震災後のテレビ放送は予定されていた番組が流される代わりにＡＣジャパンの短い放送が繰り返されていた。このような放送が流され続けるのは、これまでになかった。千年に一度、と言われる巨大地震に遭ったとき、社会はどう受け止めるのかが日々突きつけられていた。

　この巨大地震と津波が引き起こしたものは、大きすぎた。とりわけ、多感な時期の中学生がその現実を受け止めるには。それでも、東京の中学生からの贈り物は、生徒たちへの希望となり勇気になった。人を励ますことができるのは、温かい思い、真剣なまなざしをもつ人そのものだったと教えてくれた。

修了式は三月二十九日

宮本靜子

平成二十三年度の三月の予定表には三月二十四日に修了式とある。その前には、一、二年生の授業参観、学期末清掃など、当たり前の行事が並んでいる。当然それが行われると思っていた。

しかし、それは絶対に無理だった。生徒たちは、多くは避難所や知り合いの家に身を寄せていた。どこに誰がいるのかをつかむこと、それが一番優先されることだった。どこにもいない、確認ができない生徒たち。この現実を受け止められなければならない。本当に辛い。その気持ちを抱えながら、修了式の準備にあたった。

修了式は、学校にとって三学期だけでなく一年間の締めくくりとなる行事で、生徒たちは、担任の先生からこの一年間の頑張りを一言添えられ通信票を受け取ると、翌日からは春休みとなるという、次の学年への期待が高まる日である。一年間同じクラスだった友だちと思い出を語ったり、楽しい予定を立て合ったりする姿があった。これまでは。巨大地震と津波はその当たり前の光景を奪ってしまった。

震災後の修了式は、三月二十九日、名取市内の那智が丘小学校をお借りして行われることになった。当日まで、様々なことを想定して私たちは仕事に取り組んでいった。

まず、修了式に参加するためには生徒たちを集めなければならない。会場となる那智が丘小学校は、震災の被害がなかった名取市西部の住宅地の中にある。海沿いにあった閖上中学校からは、約十三キロ。生徒たちが今いる場所からは遠く、車も当然無い。スクールバスが必要だった。何台必要で、どんなルートを作れば良いのか教務主任の八森伸先生（現閖上小中学校長）が原案を練り検討を重ねた。

実施日とスクールバスが各避難所を回る時間が決定すると、私たちは、画用紙に実施日と時間を書いて「これを入り口に張って下さい」と避難所を回り、そこにいる生徒たちにも「修了式があるよ」と声をかけていった。嬉しそうだが、不安げな表情の子も。一体何人集まることができるのか。

その日の朝、臨時職員室で打ち合わせを持った。名取市役所の六階の会議室を二つに分けて、閖上小学校と閖上中学校の職員室スペースにしていただいた。小中連携はこのときから始まったのかもしれない。修了式の前に、閖上小学校の卒業式が行われる予定だった。その準備の手伝い、各避難所に分かれてバスに生徒が乗るための準備と、時間は慌ただしく過ぎていった。それぞれの避難所を十三時に出発し十三時三十分に到着する計画である。

私は、第一中学校の担当だった。もう生徒は待っていた。「早いね、ご飯は食べたの？」避難所では毎日の食事に、お弁当やカレー、炊き出しなどが準備された。自分の食べたいものを家族に作ってもらうには、あとしばらく時間が必要だった。

バスを待っている間、何となく楽しげな様子。同じ避難所にいても、段ボールで仕切られているそれぞれのスペースで生活しているため、互いに話はしないのかもしれない。

バスに乗り込むと、中学生らしいおしゃべりが始まった。「あ、閖上が見える」バスが那智が丘小に向かう坂を登っていくと、東の方に海が見えだした。それほどここは高いところにある。津波の被害は全くない、住宅地の中にある。生徒たちは、じっとその方向を見ていた。

那智が丘小学校は、校舎も新しくきれいな学校だった。修了式の前に行われた閖上小学校の卒業式を見せていただいた。これから閖上中学校に入学してくる生徒たちの様子を、確かめたかった。それぞれに支援物資の服を着ている。この服装が今のように、袴やスーツになるのには数年かかることになる。

修了式が開始されるのは、十四時。少しずつ生徒たちが集まってきた。遠方に住んでいて出席が難しい場合は、無理に出席しなくても良いことになっていたが、多くの生徒たちが集っていた。服装については、私服でも制服でも良かったが、制服で来るということは自宅が津波で流されなかったことを意味する。ほとんどの生徒が私服だった。上靴もないため、スリッパが準備された。

久しぶりの再会。抱き合ったり声を掛け合ったりしているとき、聞こえてきた会話。「あー、良かった。みんな生きていて」「勝手に死なせないで」笑顔で交わされる言葉は、普通では考えられない内容だった。

多目的ホールに整列が完了すると、最初に黙とうがあった。「去る三月十一日に起きた東北地方太平洋沖地震及びそれに伴う津波により命を落とした方々、今日ここに来るはずだった閖中の仲間への哀悼を表し、黙とうします。黙とう」

このときは、まだこの災害をこのように呼んでいた。後の閣議で「東日本大震災」と呼ぶことが決定されている。黙とうをする生徒は、目を閉じてじっと何かを考えているようにも見えた。私自身も、安否不明の生徒たちの顔を思い起こしていた。辛い時間だった。

修了式が始まる。各クラスの代表合わせて四名に修了証書が授与された。すでに予定していた生徒たちだが、その中には親を亡くした生徒もいる。立派に証書を受け取ると、そのクラスの生徒がしっかりと礼をする。事前の指導がなくともきちんとできる姿だった。

学年ごと、一人一人に通信票（修了証）が渡された。一人一人の名前を呼び、一言添えて渡していく。渡されると、隣同士し見せ合ったり、のぞき込んだりする風景は、いつもと変わりなかった。しかし。ここに集うことができなかった生徒たちの名前が呼ばれた。表情がさっと変わる。「〇〇君も進級です」「〇〇さんは、まだ見つかっていません。待ちます」と紹介された。犠牲になった、未だ不明の生徒は、二年生五十五名のうち七名だった。学年主任の菅井先生は、この七名の名前を一人一人告げてこう言った。「これから、みんな辛いこととか苦しいことがあるかもしれないけど、みんな一人じゃないからね、みんな一人じゃないから、ね」こんな時、私たちはどんな言葉をかけてあげられるのか。この言葉をかみしめるように、泣きながら聞いている子どもたちを見て、そう思った。

一学年主任の古積先生は、「これから先生たちはみんなのことを守るからね。必ず、守るから」と涙声で、でも力強く言った。この学年も四名の生徒が犠牲になっている。あの校舎で生活した最後の学年。その後三年生になったときには、図面を頼りに、校舎の模型を見事に完成させている。

各学年の通信票の配付が終わると、体育館へ移動した。「励ましの会」が準備されていた。市長の話に続き、自衛隊の皆さんが、記念の演奏をして下さった。曲は『ジュピター』『ありがとう』『ふるさと』『明日があるさ』の四曲。いきものがかりの『ありがとう』の途中、ある楽器のソロになったところで、涙がこみ上げた。この曲は吹奏楽部でも演奏したことがある曲。ソロを担当した生徒は、津波の犠牲になった。美しいメロディーは、悲しみの響きとなって心をかきむしっていった。

十五時五十分。バスに乗った生徒たちは、それぞれの避難所に帰っていった。来るときとは、少し違った表情で。

修了式での思い（学年主任として）

古積　緑

三月二十九日に行われた修了式には、十一日以降初めて、一学年全員が集合しました。一学年では四人の生徒が亡くなりましたが（当時はまだ行方不明の生徒もいました。）、あの那智が丘小ホールに全員が集まったと思っています。

自分自身も、自宅が大規模半壊、自家用車も流されて通勤できない状態だったので、震災以降二回目の出勤だったと思います（近くの森田先生の車に乗せていただきました。）。それまでは長欠気味だった生徒の顔も見られました。

生徒たちに会うまでは、大変な思いを抱えている子どもたちにどんな言葉をかければよいのか、という迷いがありましたが、生徒たちに再会すると、「この子どもたちのために、できることをしていかなくては」と何か突き上げられ、話をしましたが、どんな内容の話をしたかは正直覚えていません。

ただ、世の中から「頑張れ、頑張れ」と連呼され、こんなに頑張っているのに、これ以上何を頑張ればよいのか、みんなはよく頑張った、これ以上頑張らなくてもいい・・・といった感じのことを言ったような気がします。当時、閖上中一年生だったこの子どもたちは、少々やんちゃで元気な生徒が多く、いろいろなことがありましたが、毎日が充実した学校生活でした。

この修了式のときの生徒の表情はそれまでとは全く異なり、とても固いものでした。

だんだんと人数が増え、会話が始まり・・・と時間が経つ中で幾分表情が和らいだ生徒もいましたが、ずっと暗い表情のままだった生徒もいました。母親を亡くした生徒、友人の母親に車に乗せてもらって助けられた生徒、津波から友だちと一緒に逃げたが後ろを振り返るとその友だちはいない・・・という経験をした生徒、父親を亡くしてしまった生徒、制服やジャージ、文房具など一切が流されてしまった生徒たち・・・。この子たちがこんな表情をするなんて・・・という驚きと共に、悲しみで胸がいっぱいになりました。

その後、四月二十一日から不二が丘小学校の東校舎を間借りし、始業式が行われ、学校生活が再開しました。学校は始まりましたが、大半の生徒は、避難所となっている周辺の小学校や中学校の体育館から、バスでの通学です。

当時の職員室は、場所は変わってしまったけれど、できるだけこれまでと同じように授業や生活、部活動をすることをモットーにしていました。不二小には、閖上小も通学することになったため、三校で体育館や特別教室を分担して使用する状態でした。

中学生は、休み時間に校庭で遊ぶことは許されない雰囲気があったので、教室の中で、紙で作ったバスケットゴールに紙で作ったボールをシュート、といったことをやっていたそうです（後日、学級担任の先生から聞いた話です。）。

階段の踊り場にあった図書コーナー、寄付で頂いたお金で購入した外のバスケットボールリング、廊下に張り巡らされた応援メッセージなど、不二小東校舎の中で、子どもたちの笑顔が取り戻せるなら・・・と、みんなが必死に動いていたような気がします。

もう一度届いた卒業記念品

宮本靜子

卒業式の前日、二つの卒業記念品を生徒に渡していた。一つはカップ。もう一つは時計である。それぞれに、名前やクラス写真（修学旅行の集合写真）が入っていて、思い出の品にしてほしいと担任の先生や生徒が選んだものだ。それが、ほとんどの生徒が津波で流された。卒業アルバムもそうだった。何とかできないか。少しずつ、義援金が集まってきたところで、もう一度発注して、生徒たちに渡せないか、そう考えた。

四月九日、目処が立ったところで、注文した会社に電話してみた。フレンド・ヒロという大阪の会社だった。「もしもし、宮城県の閖上中学校と申しますが・・・」と事情を言うと「あ—、ほんまに大変でしたね。テレビで見ていて、閖上やったら大変やろなって、みんなで心配しとったんです。記念品やったらお金なんかいいですから、是非送らせて下さい」との声。大阪の高校に通っていた私にとって、懐かしい大阪弁。こんなに温かい気持ちにさせてくれる言葉とは・・・。「うちらにできることなら、喜んでさせていただきます」電話の向こうから、喜んで下さっているのが伝わってくる。

「全員分でなくて結構です」と必要な数をお伝えしたが、全員分の四十八個を送って下さった。有り難いことだと思った。地震によって高速道路が傷むなど交通網がまだ整っていないのに、四月十五日には記念品が届いた。至急送って下さったのだろう。すぐにお礼の電話を入れる。

生徒に渡す日は四月十七日（日）十二時半、名取市役所正面ロビーとした。この日は、県農業高校の第二回目

市役所に集まった卒業生たち

の一日入学がある日で、会場は市役所から近い名取北高校なので、その終了後の時間に設定した。他の高校に進学する生徒には、合わせてもらう形だ。卒業生たちに、このことをクラスごとに伝えてもらった。まずは担任から連絡先がわかる生徒へ、そこから生徒同士で連絡がつく場合は伝えてもらうなど工夫した。

当日になった。何人集まるのか。震災から一ヶ月が過ぎている。高校入学のための手続きを済ませて、それぞれの避難所にいながら入学の準備を進めているのだろう。卒業式だったあの日以来、きちんとした形で集まるのは初めてだった。どんな表情で来るのか。そう考えていると、少しずつ集まって来た。修了式の後輩たちとは少し違った様子。

市役所のロビーは、安否確認の情報などの紙が壁いっぱいに貼られていて、ただでさえ年度初めの時期の手続きに加えて、震災関連の手続きをする人たち、支援物資の毛布を受け取る人たちが忙しそうに動いている。とても元気に話ができるような空気ではなかった。

「元気だった？」と互いに無事を確かめると少し安心した表情。親を亡くした生徒も、この場にいることを知っていた。「会えて良かったです。大阪のフレンド・ヒロという会社が、もう一度卒業記念品を贈ってくれました。感謝しようね」そう言って、「お礼状と一緒に、みんなの写真を送っても良いかな」と記念品を片手に持つ集合写真を撮った。「もし、卒業アルバムもこうして（支援）もらえたら、また連絡します。それまで元気でね」少し名残惜しそうな子どもたちだった。来られなかった生徒には、一人一人に連絡して手渡した。卒業生がどうしているか気がかりだった私には、再会できた大切な時間だった。生徒たちは、思ったより明るい。家族を亡くした生徒も含めて。

この卒業生たちは、それぞれの学校で被災に対する温度差の中で高校生活を始めることになる。「被災者」の立場が苦しくなって、登校が辛くなった生徒もいた。高校の先生の一言に傷つき、苦しんだ生徒も。それぞれの十五の春は、始まったばかりだった。

その後、卒業アルバム、そして卒業証書ももう一度作っていただいた。関係者の皆さまに心から感謝します。

もう一度届けられた卒業記念品

不二が丘小へ引っ越し

宮本靜子

年度始めは、家庭にとって大変出費がかさむ時期だ。入学をともなう場合は、なおさらである。被災した家庭は、家を失っている。一家の大黒柱を亡くした家庭もある。ある卒業生は、震災数日後に親を亡くした。津波によるものではなかった。このころ、ガソリンの不足で店の前には早朝から給油のための長い車の列が続いた。そのさなかの事だった。進学先の学校は、震災関連死とはしなかった。入学金は免除されないという。心が痛んだ。そんな中、いち早く支援に動いたのが、あしなが育英会だと思った。校長の確認印（職印）だけで手続きが済み、入金されることになる。一番必要な時期のお金だった。

その後、様々な企業や団体が、特に親を亡くした生徒への支援に乗り出すが、中には必要な書類がかなり多く、何よりその都度、市役所に死亡を証明する書類を申請しなければならない。あるおばあちゃんは「もう、良いです。疲れました」と手続きをしなかったのを覚えている。せっかくの制度なのに、残念な気持ちになった。それでも他県に行った卒業生には、新たな支援制度が出る度に内容を伝えた。少しでも役に立ってもらえたならと考えて。

四月一日。十二時に新年度の人事が発表される。四月二十一日始業式、四月二十二日入学式という日程も。平成二十三年度は、名取市立不二が丘小学校の東校舎が、閖上中学校の校舎になることが決まった。いよいよ学校の再開だ。入学式の準備もしなければ。同時進行で、卒業生の高校への入学までの確認や支援も行うことになる。

通常、春休みは年度末の事務整理、三年生担当は指導要録の作成と高校への発送、それが済むとやっと年度始めの準備ができる。学校にとって最も多忙な時期だ。しかし今、私たちが最も優先することは、生徒たちが今いる場所の確認と、亡くなった生徒たちとお別れをすることだった。

四月八日は、亡くなった三年生との別れがあった。入りたい高校への合格を果たしていたのに・・・。どんな思いで、最期の時を迎えたのか、今も考える。

毎日、頭の中でいろいろなことが駆け巡っていた。大阪の友だちは「無理したらあかんで、疲れんようにしいや。これからが長いんやから・・・」と励ましてくれるが、これからが長いという意味がピンとこない。とにかく毎日できることを精一杯やる、その連続だった。気がつくと、なかなか熟睡できていなかった。一～二時間もするとすぐ目が覚めてしまう。それは、半年以上も続いた。自分はこんなに眠れなくても大丈夫なのか、周りに相談したくてもそのタイミングがなかったかもしれない

学校の再開にむけた新年度の準備をしなければならない。通常の業務に加えて、生徒の所在地から学校に来るまでのスクールバスの計画、被災校舎の中にまだ使えるものがどれほどあるのか、それを次の校舎に運ぶための計画と、限られた時間内に進めていく。このペースで学校が再開できるのか、と何度か考えた。

四月四日からの週の後半で、被災した校舎に行って、必要な物とそうでないものの仕分けをすることになった。被災した校舎内には大変ながれきがある。長靴を履き、さらに大きなゴミ袋で縛って校舎に入っていく。ほこりと匂いがすごい。コロナ禍の今と同じように、マスクは必需品だった。

引っ越しは四月十一日。生徒の机、椅子も含めてトラックに積み込む。職員を半分に分けて、不二が丘小で受け取るグループとに別れた。コピー機や印刷機は運ばないことになったが、とにかく運ぶものが多い。名取市内

中の教職員が手伝って下さった。有り難い。こうして、学校再開は進んでいった。

ついに学校が再開

宮本靜子

平成二十三年度の閖上小学校・閖上中学校の在り方に関する懇談会が、三月三十一日、名取市商工会議所の会議室で行われた。ここは、名取市役所と増田中学校の間にある施設で、それぞれから徒歩数分で行くことができる。そこでは、不二が丘小学校の東校舎を閖上中学校、西校舎を閖上小学校の校舎として活用し、一部の施設や設備は共有しながら、それぞれ別の学校として教育活動していくことが伝えられた。この懇談会のためにも、バスが運行されている。保護者も、その多くの方が避難所で生活していたためである。

この日のバスのルートは、以下のとおりである。出発地や経由地の学校に、保護者そして生徒たちが体育館や教室で生活していたことがわかる。商工会議所に近い増田中学校、増田小学校、名取市文化会館、名取市保健センターからは徒歩で来ることになっていた。

・増田西小学校　→館腰小学校　→商工会議所
・高舘小学校　→商工会議所
・第二中学校　→第一中学校　→商工会議所
・高柳バス停　→多賀社前バス停→商工会議所
・下増田小学校　→商工会議所

震災前の二月に保護者説明会を行い、すでに制服の準備も終わっていたが、ほとんどの生徒は津波で流されている。甚大な被害を被った名取市は、災害救助法の適用を受け、学用品の支給もあることも伝えられた。

四月二十一日の始業式、二十二日の入学式に向けて、これまでに経験のない細かい準備を進めていくことになる。

四月二十一日、不二が丘小学校東校舎に初めて生徒が登校する日。平成二十三年度一学期始業式の日である。二年生四十二名、三年生四十六名でのスタートだ。多くの生徒がスクールバスでの登校となる。被災した校舎からは内陸の高台に位置し、車で二十分ほどである。生徒がそれぞれの避難所から登校するために、スクールバスが必要だった。そのルートや発車時刻、利用生徒数など何度も確認し、運行計画を立てていく。西校舎で生活する閖上小学校の児童も同じバスに乗る。同じバスの中に小学一年生から中学三年生まで乗ることを考えると、中学生が注意すべき点を指導する必要もあった。三コースほど教員も同乗した。

また住宅地の中にある学校のため、バスの乗降場所もやや離れたところに設定し、ほとんどの教職員で出迎え、見送りを行うことになる。

スクールバスでの登校初日ともなるこの日、私服の生徒たちがほっとした表情でバスを降りる。やっと学校が始まる、という嬉しさが伝わってくる。それぞれのクラスが発表され、体育館へ移動する。百二十五足の臨時の上靴を準備していた。

八時四十分。始業式に先立って黙とうする。那智が丘小での修了式以来、二度目の黙とう。じっと目を閉じて祈る生徒たち。

始業式での代表生徒の発表。ここでどんな言葉を言うのだろう。皆そう思ったに違いない。一人一人が、友だち、家族を亡くした悲しみの中から、精一杯学校生活を始めたいという言葉を述べた。生徒たちには、それぞれに亡くなった友だちがいた。これから始まる学校生活は、悲しみを抱えながら、前に進んでいく出発でもあった。

不二が丘小学校では「装飾ボランティア」の皆さんが、東校舎そして西校舎を飾り付けて下さった。その様子をインターネットで発信したことが、その後多くの皆様からの支援をいただくきっかけにもなった。全国からの千羽鶴、海外からのメッセージカードなど飾る場所がないほどの真心が寄せられた。

【私服での入学式】

入学する学年を担当することになった私は、校長先生に「私たち教職員はどのような服装で臨めば良いですか」と質問した。保護者も新入生も、ほとんどが支援物資の普段着を着ていて、礼服や制服はない。被災した職員もいたが、少なくとも私自身は名取市内に住んでいるが、被災はしていなかった。校長先生はおっしゃった。「きちんとした、いつもどおりの服装でいきましょう。学校の大事な行事ですから。私たちはそうしましょう」この一言に安心した。今考えれば、普段以上に一つ一つのことを確認していた。管理職の一言に、安心を覚え自信を持って動くことができた。

通常、小学校の卒業式の数日後、中学校で一日入学がある。そこでは、次に登校する入学式での日程や提出してほしい書類の説明、校歌の練習、注意事項などが伝えられる。

しかし、その一日入学は、行うことができなかった。どんな生徒が入学してくるのかと那智が丘小で行われた閖上小学校の卒業式の様子を思い出す。

同じ市役所の六階の臨時職員室にいる、小学校の先生方との引き継ぎを行う。きちんと行動できる子が多いですよ、と聞くと嬉しくなってきた。修学旅行は会津のまちの文化や歴史、特産をテーマに学習したようだ。五年生の時は、蔵王で野外活動を行ったという。早く会いたいなという気持ちになってきた。入学式の代表生徒はと聞くと「館腰小学校の避難所にいる二人が良いと思います」とのこと。「同じ場所にいる方が指導しやすいでしょう」と言われ、そういう決め方もあるのかと思った。その一人の保護者と連絡を取り、四月十四日夕方に館腰小学校に行くことになった。

この学校の体育館は、何度も来ている。生徒が多く避難しているからだ。震災直後、まだ支援物資が十分ではなかった頃のことだった。

私には「もったいないなあ」と何でもとっておく癖がある。ホテルに宿泊するときなど、マイ歯ブラシを持参して、備え付けられている歯ブラシをつい使わないでとっておいていた。それがこんな時に役に立つとは。自宅にあるその歯ブラシや石けんなどを持って、避難所にいる生徒に会いに行った。「使ってね」と生徒に渡していた時、何人かの大人が「何か売っているんですか、買えますか」と言ってきた。「すみません。ここにいる中学生に渡しているものなので・・・」というやりとりを思い出す。それほど、ものが手に入らなかった。

その後、高校時代の大阪の友だちが段ボール箱いっぱいの支援物資を送ってきた。生徒に渡してと手紙が入っていた。「周りの人に気づかれへんように」と色のついた小分けのビニール袋まで入っていたのには感激した。

相手を思うとはこういうことか。阪神淡路大震災の時のことを思い出して、とも書いてあった。女子が喜びそうな小物などもあって、大好評だった。友だちはいくつになっても有り難い。

体育館に着いた時、約束していた時間を随分過ぎてしまっていた。この頃ようやく車を買うことができたので、車で行った。まだ車が手に入らない先生方もいた頃だ。津波で流された車は、買って半年の新車だったが、もったいないとは今も思っていない。二台分の車のローンも、大変だとは思えなかった。「あなたの替わりに流れていったんだよ」と、姉からも言われた。確かにそのとおりだ。

体育館では、相変わらず段ボールで仕切られたスペースで、避難者の方々が生活していた。連絡を取った保護者が私を見つけて下さる。新入生の保護者と会うのは初めてだ。「遅くなって申し訳ありません。お世話になります」その保護者のお子さんが、誓いの言葉を述べる生徒だった。「こんにちは」と元気な声。しっかりしてるな、と思った。

他の二人の生徒たちの避難スペースに会いに行った。皆、笑顔で待っていてくれた。誓いの言葉、記念品授与、教科書授与と役割が決まっていたので、それぞれに説明する。三人とも飲み込みが早い。さすが小学校の先生方が言うとおりの生徒たちだ。

「じゃあ、動きの練習もしようね」と体育館のステージの方に移動した時だった。「学校、始まんのすか」おばあちゃんが声をかけてきた。周りを見ると、皆さんが私たちを見ている。「ハイ、四月二十二日が入学式なんです」というと、笑顔が広がる。お辞儀の練習まで終わると、拍手までして下さる。「学校は地域に浮かぶ船」とは、こういうことなのか。学校の再開は、閖上の人たちの希望となっていると確信した。

そして四月二十二日。入学式の日である。会場の準備は前日の始業式の日、生徒が十一時にスクールバスで帰った後、教職員で行った。普段は会場準備は三年生、新入生の教室は二年生の担当になっていたが、今年は私たちが手際よく行わなければならない。生徒たちだって、準備したかっただろう、と思いながら・・・。

九時。新入生が登校してくる。東校舎昇降口で上靴を渡し、下駄箱の場所を伝え、教室へと向かう。保護者は同じスクールバスに乗って到着後、体育館へ案内する。生徒も保護者も初めての校舎である。

教室では、入学式前の学級活動が進む。担任の高瀬先生が、菅野先生、村田先生と共に担当する。生徒と先生が初めて出会う大切な時だが、大変慌ただしい。出欠確認後、「おめでとう」の赤いリボンを生徒会役員の先輩たちが左胸につけていく。みやぎ生

新入生の入学記念写真　全員私服

協さんから支援していただいたものだ。ちょっと恥ずかしそうだが、笑顔になる。ここからが勝負。式の流れを説明し、整列の順番を名前で確認、入退場の仕方、着席の合図、呼名されたときの返事、「起立、礼、着席」の指示などについて、次々に話される。あっという間の三十分。トイレを済ませて九時四十五分に整列。いよいよ入場だ。

「新入生が入場します。皆様、拍手でお迎え下さい」本当なら、ここで吹奏楽部の演奏が始まるが、この日はCDが流される。音楽に合わせて拍手が始まる。吹奏楽部の部員も、在校生の席で一緒に、三十七名の新入生が拍手に合わせて入場するのを見つめている。皆、顔を上げてしっかりと前を向いて歩く。途中、隣の人と歩調が合わなくなると、合わせようと自然に目を合わせて前へ進んでいく。見ていて涙がこぼれた。これまであったどの入学式より立派な新入生の入場だった。

この学年は、三年生の社会科の学習で、閖上を元気にする復興プランと「ゆるキャラ」を考えた。その過程で被災から見事復活された地元の蒲鉾店「ささ圭」のことを知り、深い学びとなった。製造過程のレシピを全て失われ、廃業を決意されたところからの復活は、生徒一人一人の胸に響くドラマだった。大人たちの生き方から多くを学び生徒たちは成長していった。

1学年便り

希望の明日へ　No 2

2011.5.6　文責　宮本

元気に中学校生活をスタートさせています！

入学式から早いもので二週間が過ぎました。始めは、中学校生活についていこうと緊張して過ごしていましたが、少しずつその緊張もほぐれてきたようです。ご家庭でのお子さんの様子はいかがでしょうか。初めての学年集会では、満開の桜の木の下で行い、みんなで写真もとりました。また教科の授業が始まり、いよいよ中学校の学習も始まりました。3月の大震災によって、これまでとは異なった環境の中で生活している人も多いことと思いますが、少しずつ学校生活のリズムを整え、まずは健康で過ごしてほしい、と願っています。どうぞ宜しくお願いいたします。

立派な入学式でした！

誓いの言葉

私たち三十七名は、この伝統ある閖上中学校に入学することに喜びと誇りを感じています。

私たちは今回このような大震災に見舞われました。しかし全国のみなさんの支援のおかげにより、この閖上中学校の入学式をむかえることができました。だからぼくたちは、支援をしてくださったみなさんへの感謝の気持ちを忘れず友達を大切にし、立派な中学生として行動することをお誓いいたします。

平成二十三年四月二十二日

平成二十三年度新入生代表

沼田 雄祐

入学式後の学活では、教科書が配付され、ユニセフからバックに入った支援物資もいただきました。

かけられて　うれしかったことば

只野　さとみ

学校が再開し、廊下の掲示に目をやると、様々なことばが書いてある。心のケアに配慮しながらも、心のうちを表現させると、こんなことばになるのかと思った。題名は「かけられて　うれしかったことば」だった。

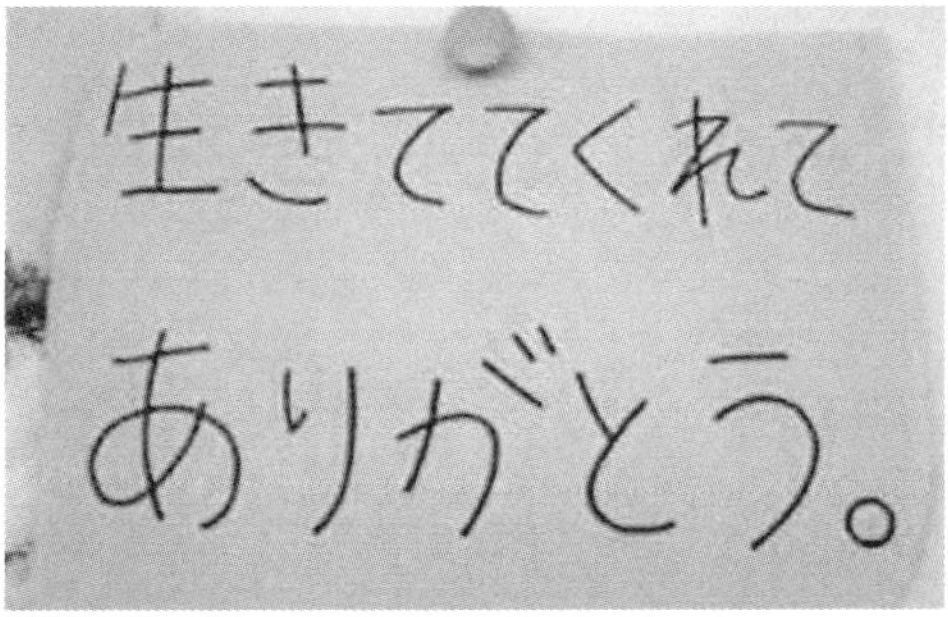

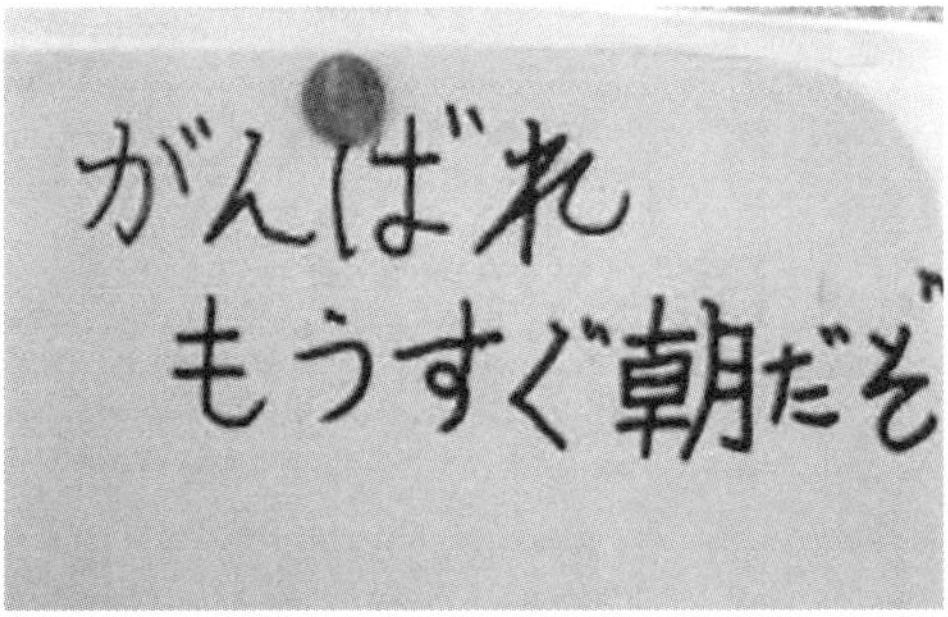

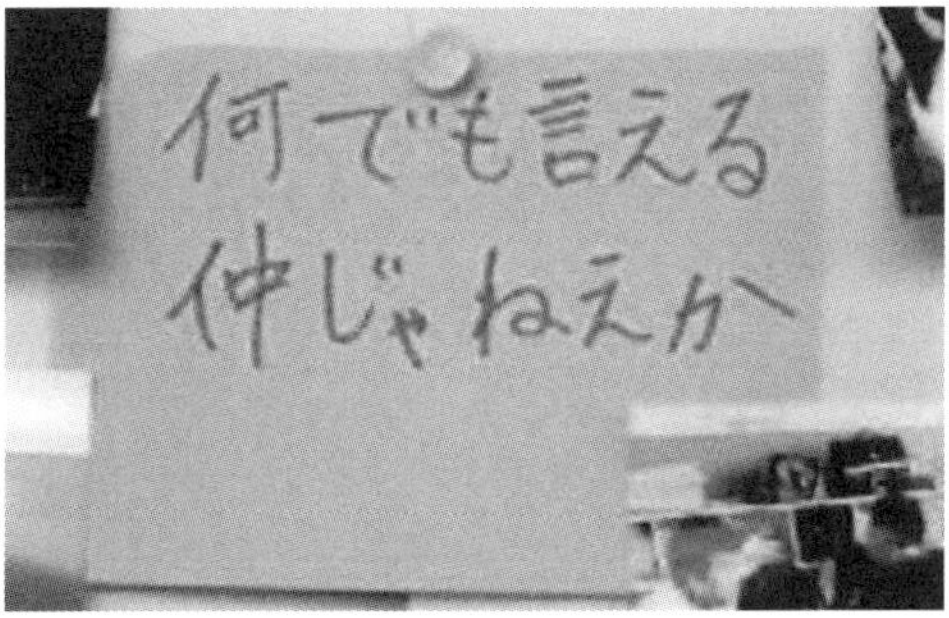

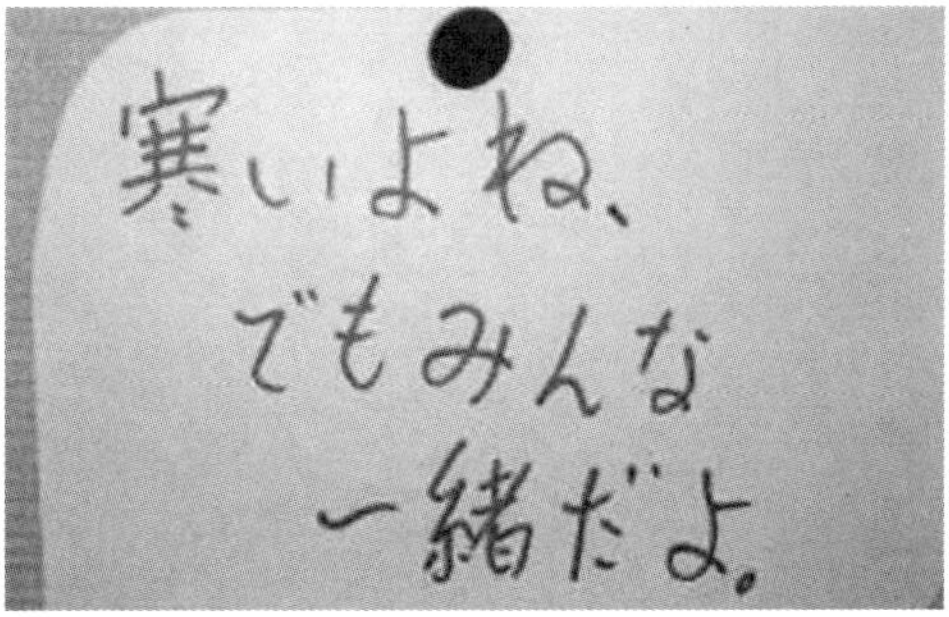

初めての授業で

宮本靜子

始業式で、新しい教科書が配付された。三年生には公民の教科書が渡されたが、二年生での授業は地理の「日本の諸地域」で終わっている。その後の二週間分は学習していない。歴史も「二度の世界大戦」の学習からは三年生で学ぶ予定になっていた。地歴の教科書が必要だった。しかし、ほとんどの生徒が自宅を失っている。社会だけでなく他の教科も一、二年生の教科書、ノートや学用品すべてを失っているだろう。それは、どれほどなのか。最初の授業で確かめることにした。

久しぶりの授業。いるはずの生徒がいない教室。そのことにふれないわけにはいかない。はじめに、こう言った。「今、ここにいない友だち。皆さんの周りにいた人たち。先生は、津波の犠牲になった、と思っていません。最期まで、津波と戦った勇気ある人たちです」と。何かを言ってほしい、と真剣に生徒たちの視線が集まったとき、私たちはどんな言葉を紡ぎ出すことができるだろうか。大人がこれまでどう考え生きてきたかの結晶が、その一瞬に声になって表れるのだろう。「これから、不自由なこと、不安なことがたくさんあるかもしれないけれども、一日一日精一杯生きていきましょう」自分にも言い聞かせるように言った。

授業開き、と私たちが呼んでいる年度始めの授業では、学習の進め方を説明したり、「去年一年間、心に残った授業は？」など、プリントに記入してもらっていた。

しかし、このときのプリントには、「教科書、資料集、ノートの有無」「学習面で心配なことや不安なこと」「この一ヶ月あまり考えたこと」「授業への要望」という項目にした。静かな教室に、鉛筆の音が響く。久しぶりに字を書く子もいるのかもしれない。考えながら、真剣に書く姿。これまで見たことがない緊張感だった。ほとんどの生徒が、教科書、資料集、ノートについては、×の印。厳しい現実だった。

「この一ヶ月あまり考えたこと」には、次のような内容を書いている。

・当たり前のことなんて一つもなくて、みんなと一緒に笑えることがこんなに幸せなこと。

・学校が始まる前は、一日一日がたいくつで、近くの公園のベンチに座ったりごろごろしながら十一日に起こったことをずっと考えていました。ものすごくきれいな青空だったのに、地震が来る数分前に急に空が暗くなっておかしいなと思ったことや、帰りに途中まで一緒だったKちゃんとの会話、津波がきたときの風景などたくさんのことを考えていました。

・閖上の復興、仮設住宅、津波の被害があった場所にこれから住めるのか、これからの漁業、福島原発、原発の近くの農家、家畜の殺処分、店の閉鎖、東京電力の対応、他県からの物資。

・もし、ふつうに始業式とかやっていたら、幸せだったんだろうなと思いました。クラス替えとかでみんなで喜べたんだろうなって。こんなに失ったものはあまりにも大きく何より辛いので、今までの暮らしは本当に幸せだったなって気づきました。

・どんどん店もあいたし、学校も始まって嬉しかったけど、この前までいたはずのみんなが、いないのが目立ってとても悲しくて悔しかったです。あの日一緒にいたならとか、無理矢理にでも連れて行けばとか、考えてしまいます。自分だけ勉強して、いつものように友だちと話すことが少し苦しいです。色々な人たちが支援してくれてとても嬉しいし感謝しています。なので、私も何かボランティア活動などがしたいです。まだ、避難所にいる人や家族が見つからない人などよりも自分は恵まれていると思うので。

・一ヶ月ほど勉強していない日々が続き、学校に来て勉強してみると、集中力もがくぜんと落ちていたり、精神的にすごくいやになることが多い。でも、これはみんな一緒だからと自分に言い聞かせて頑張っている。募金をしてくれる人や文房具を寄付してくれる人たちもいるのでその気持ちを無駄にしないように頑張りたい。

・何で自分だけ楽しく過ごしているんだろうと思いました。他の人は避難所で暮らしているのに、自分は家がある。みんなの役に立てないので、それが悔しいです。

・私は、みんなと違って家があるから良いほうなんだと思いました。それが、逆にいやだと思うときがあります。みんなすごく辛いのに自分だけいいのかなって思ってしまってすごく悲しいです。なので、これからは、できることはできるだけ手伝っていこうと思います。仲良しだった友だちを亡くしてしまい、すごく辛いです。でも、親を亡くした人、家族を亡くした人たちのほうがもっと辛いと思います。この地震・津波のことは忘れることがないと思います。でも、みんなで支え合って生きたいと思います。

・親戚五人が亡くなりました。今年、小学校に入学するはずだった子がいました。とても楽しみにしていて、どんなに待ち望んでいたかと思います。何としてでも入学させてあげたかったです。今となれば、もっと一緒にゲームなどをして遊んであげれば良かったと後悔しています。だからといって、くよくよしていたら申し訳ないと思うようになり、亡くなった人たちの分まで生きようと思いました。

・この震災で、自然の力はすごく怖いなと思いました。でも、いろいろな都道府県から支援が届き、学校に行けるようになりました。人の支えを受けて日本中の、世界中の人々の優しさが分かりました。自分たちの心の傷は一生消えないけど、頑張って乗り越えて必ず閖上を復興させ、卒業式をやって人々に恩返しをするのが、今の私の夢です。

・やっぱり、あの地震や津波のことを、何でもない時に思い出します。会ったこともない私たちを応援してくれるたくさんの人がいることに、とてもありがたく思います。

・なんだかんだ閖上が大好きだったなあって改めて気づきました。でも、三月十一日前までの閖中生活に悔いはなかったなあと思っています。

・自分はなんとか助かりましたが、亡くなった同級生もいて、その人たちは勉強したくても、この先することはできません。なので、その人たちの分までしっかり勉強したいと思います。

・とりあえず、自分の命があることに感謝しようと思った。みんなこの先も今も辛いことや苦しいことがあるけど、頑張らなきゃだめだと思った。いつになったら、普通の生活ができるようになるのか分からないけど、助け合わなきゃだめだと思った。

・人の優しさを感じます。今、閖上におじいちゃんとおばあちゃんが住んでいて、食料や水を取りに行くときは、遠くのスーパーまで車で行かなければなりません。でも、そんな時に自衛隊の人たちが、段ボール箱にカップラーメンやタオル、水などを持ってきてくれました。それをおじいちゃんとおばあちゃんは「二人じゃ多いから」と私たちに分けてくれました。感動しました。

・この震災で、背負った傷はあまりにも深すぎて、正直なところ勉強など考えていられません。あの日から、大好きな友だち、私を大事にしてくれたママとじいちゃんがいなくなりました。今でもそれを受け止めているのか、よくわかりません。だから、私は亡くなった人たちのためにも、後悔のない毎日を送りたいと思います。

・死ぬということがなんなのかと考えました。友だちや地域の方々などたくさんの人が亡くなり、僕の母もまだみつかっていません。最初母親がどこにいるのかが分からないというとき、かなしくて二日間は涙が出ましたが、今はよく分かりません。友だちもそうですが、亡くなってしまったということもよく分からず、こう書くと失礼ですが、最初からいなかったように感じてしまい、死ぬということは、人を忘れてしまう恐ろしいことだと思いました。

・大切な人のためにも、中途半端にやらず自分が目指しているものに向かって頑張ろうと思います。今でも、閖上にあんなことがあったなんて、信じられません。閖上にはたくさんの思い出があります。震災の後、ずっと思い出を振り返っていました。大切な人たちと過ごしていた町は、絶対に復活します!そう信じています。私は、一回だけ考えたことがあるんですが、「閖中生全員で、閖上の木材やら色んな物を運んだり復活のお手伝い」をしたらどうなるんだろう、と考えました。

一人一人の文章から、一ヶ月あまりいろいろなことを考え、悩み、苦しんで、自分を責める姿も伝わってくる。友だちや家族を失った悲しみはあまりにも大きく、「死」と隣合せだった記憶は、深く心の中に刺さり続けていくことになるのだろう。そう思った。

	地	歴
教	×	×
資	×	×
ノート	×	×

3年 2 組 17番　氏名

☆今、学習面で心配なことや不安なことはどんなことですか。何でも書いて下さい。

1年生，2年生で使った教科書や資料集，ノートなどがないこと、復習するときに、調べることができないのが不安なこと。

また、1ヶ月ぐらい勉強を本格的にしていなかったので、1.2年の内容がしっかり頭に入っているのか不安です。

☆この一ヶ月あまり、あなたの心の中で考えたことや気付いたことがあったら書いて下さい。

この一ヶ月で、一番多く考えたことは、地震あるいは津波が来る何日，何年前にもし戻ることができたら何をしているのかよく考えます。もし戻れたなら、津波が来ることをみんなに知らせたり、自分が今になって必要だと思う物などをまとめていたと思います。また、もし地震の日が普通の授業の日だったら、どれくらいの人が助かったのかというのも、考えたりします。

☆社会科の授業への要望があったら何でも書いてください。

難しいと思いますが、今まで書いたノートのコピーなんかがあると、助かります。

一年間、よろしくお願いします。(宮本)

学習に対する不安は、かなり大きいものだった。「一年生、二年生で使った教科書や資料集、ノートなどがないと、復習するときに調べることができないのが不安」「以前より全然集中できない。避難所で勉強していても一時間もできなかったり、避難所がうるさかったりしてできないことが常々ある」と書いている。授業が再開しても、地歴の教科書がないのでその度にコピーして渡した。

あるゴミ回収の日、集積所を見て驚いた。教科書が丁寧にひもで縛られ出されている。私の住むところは、全く津波の影響がなかった高台の住宅地。毎日欲しいと思っている教科書がここにある。近所に中学生がいる知り合いに声をかけてみた。「もう使わない教科書はありませんか」と。すると、あっという間に数冊集めて持ってきてくれた。その後、しばらくたって一、二年生の教科書も支給されたが、それまでの間大切に使わせていただいた。

震災前のゆりりん活動（平成 18 年度の様子）

ノートも必要だった。授業への要望に「難しいと思いますが、今まで書いたノートのコピーがあると助かります」と書いてあった。確かにそうだろうと思った。そこで津波の被害に遭わなかった生徒に「みんなのために貸してもらえないか」とお願いして二年分コピーさせてもらった。ノートチェックの時に、いつも「素晴らしい！」とシールを貼っていたノートだ。印刷してファイルにとじる作業は、夏休みに来てくれた学生ボランティアに手伝ってもらった。このファイルの意味を説明しながら。

生徒がプリントに書いた中には、地域の復活を願い、行動していきたいという気

活動後の反省会

仮設校舎周りの環境保全活動

持ちも表れている。震災前は「ゆりりん活動」として、全校あげて海岸林の整備・清掃活動に取り組んでいた。「ゆりりん」とは、植樹で再生させようとしている閖上海岸の保安林の名称で、閖上小学校の児童によって名付けられた。閖上の「ゆり」と保安林の「りん」にちなんだものである。

震災発生前の二月にもゆりりん整備作業を行っている。地元のゆりりん愛護会や海上保安庁とも協力して行ったこの活動に対して、平成十八年には環境大臣賞が贈られた。環境保全、地域への貢献という視点を持つ活動を通して、生徒たちは自然のうちに社会へ参画する意欲を培っていった。津波によってその「ゆりりん」は壊滅的な被害を受けたが、少しずつ再生させようとする取り組みが始まっている。

震災後、仮設校舎に移った生徒たちは「ゆりりん活動」の伝統を受け継ごうと全校生徒が班をつくり周辺の環境整備活動に取り組んだ。

現在、閖上小中学校では「名取ハマボウフウの会」の皆さんと名取の海岸環境を守る活動に取り組んでる。さらに北海道の石狩中学校と交流するなど環境保全活動の輪が広がっている。

Nコンへの挑戦

菅井聡恵

平成二十三年三月二日、一・二年生合同で「三年生を送る会」を体育館で行った。その当時、NHK連続テレビ小説「ゲゲゲの女房」で流れていた『ありがとう』という、いきものがかりの曲を合唱した。練習の時、とても意欲的で覚えの早い二年生を前にして、

「とても上手だから、来年Nコン（NHK学校音楽コンクール）にでも出てみようか」

と、話したところ、Nさんが「出てみたい！」と話していた。彼女は、津波で亡くなってしまった。

五月から、不二が丘小で、新三年生の生活が始まった。その年のNHK学校音楽コンクールの課題曲は『証』というflumpoolの曲で、そのグループの山村隆太が作詞していたが、その歌詞は津波で友人を亡くした三年生の心境そのものを表しているように思えた。

「前を向きなよ　振り返ってちゃ　うまく歩けない　遠ざかる君に手を振るのがやっとで」～中略～

「あたりまえの温もり失くして初めて気づく　寂しさ噛み締めて　歩み出す勇気　抱いて」

～中略～

「またねって言葉の儚さ　叶わない約束　溢れ出す涙　拭う頃　君はもう見えない」

歌詞の一部分を紹介したが、大切にした友だちを亡くした悲しみが込められているように思えてならない。亡くなったNさんのためにも、是非みんなでNコンに出て歌おう。六月の初めの頃、学年集会で生徒に提案した。

生徒も担任の先生も、快く賛成してくれた。

大会まで、約一ヶ月半と日数が迫っていた。当時閖上中学校三年生は、不二が丘小の東校舎の二階の二教室を使用して生活していたが、音楽室は不二が丘小、閖上小の児童が生活している廊下を通り過ぎ、反対側の西校舎の三階にあった。音楽室での授業の際は、たどり着くだけでも五分近くかかった。

また当時は、小学校の時程の四十五分に合わせてチャイムが鳴っており、五十分授業の中学校では、休憩が五分しかなかった。移動だけで休憩時間がなくなってしまった。

大会は夏休みがもうすぐ終わる八月二十一日だったので、夏休みはほとんど毎日、扇風機とキーボードをかついで、遥か遠くの音楽室まで汗だくになって運び、練習に励んだ。さらに毎日、担任の藤村先生、只野先生も練習に付き合い、三年生四十五名全員で大会に臨んだ。

しかし、気持ちの中では、亡くなった七名の生徒も一緒にステージで歌っている。そんな心境で震災前の五十五名で生徒たちは歌っている。そう思えてならなかった。

大変な震災が起きたその年に、ステージに立って皆で歌えたことは、一生涯忘れることのできない思い出となって、今も心の中にあの日の思いがよみがえってくる。一つのことに向かって、ひたむきに打ち込むものがあったからこそ、つらさや悲しみに背を向けず、前を向いて生活できたのだ。何よりも、『証』の歌詞を皆で口ずさむことで、心強くなれたのではないか。今考えると、そう思えてくる。

大会後、ｆｌｕｍｐｏｏｌが、不二が丘小学校を訪れて、『証』を聞いてもらったことも、よい思い出である。

また、大晦日のＮＨＫ紅白歌合戦の番組の中で、閖上中生のＮコンへの取り組みが取り上げられ、全国に放送された。
もうすぐ、震災から十年が経とうとしている。生徒たちは、「証」という曲を聴いた時、あの当時の生活を思い出すだろう。

『証』
作詞　山村隆太
作曲　阪井一生

前を向きなよ振り返ってちゃ上手く歩けない
遠ざかる君に手を振るのがやっとで
声に出したら引き止めそうさ心で呟く
“僕は僕の夢へと君は君の夢を”

あたりまえの温もり失くして初めて気づく
寂しさ噛み締めて歩みだす勇気抱《いだ》いて

溢れだす涙が君を遮《さえぎ》るまえに
せめて笑顔で“またいつか”
傷つけ合っては何度も許し合えたこと
代わりなき僕らの証になるだろう

“我侭《わがまま》だ”って貶《けな》されたって願い続けてよ
その声は届くから君が君でいれば

僕がもしも夢に敗れて諦めたなら
遠くで叱ってよあの時のようにね

君の指差すその未来《さき》に希望があるはずさ
誰にも決められはしないよ
一人で抱え込んで生きる意味を問うときは
そっと思い出してあの日の僕らを

“またね”って言葉の儚さ叶わない約束
いくつ交わしても慣れない
なのに追憶の破片《かけら》を敷き詰めたノートに
君の居ないページは無い

溢れだす涙拭う頃君はもう見えない
想う言葉は“ありがとう”
傷つけ合っては何度も笑い合えたこと
絆を胸に秘め僕も歩き出す

特別な卒業式

宮本靜子

平成二十三年度から二年間は、卒業式は特別だった。亡くなった生徒も、一緒に卒業してもらうためだ。どのような形にするのがいちばん良いのか。一つ一つ考えた結果、通常の卒業式の後、学年集会の形で亡くなった生徒たちの卒業式を行うことになった。

平成二十四年三月十日、第六十五回卒業式の朝は、雪が舞い散り、寒さが一段と強かった。四十五名の卒業生を、この日もＮＨＫのカメラがじっと捉えていた。卒業証書授与、送辞、そして答辞と続く。特別な思いを込めた一言一言。会場に特別な空気が流れる。卒業生の歌『桜散る頃』。「気づかないほど　いつもそばにいた　あの頃は君とよりそって　未来の僕たちへ　贈る言葉はひとつ　君に会えてよかった　この想い　いつまでも・・・」卒業生の気持ちと歌がとけ合って体育館に響き渡る。そして、在校生と共に『旅立ちの日に』の合唱。二番は卒業生が歌う。「懐かしい友の声　ふと　よみがえる・・・」天に響け、という思いが込められているようだった。

卒業生、そして、在校生が退場した後、もう一つの卒業式が行われる。卒業生が入場してくる。保護者が、亡くなったわが子の写真を抱いて入場される。

「一同、ご起立下さい」修礼、開式宣言、そして卒業証書の授与。校長先生と学年主任の菅井先生が登壇する。一組担任の只野先生がマイクに進み出る。「平成二十三年度卒業生」亡くなった生徒たちの呼名をする。授与は一人ずつ保護者が登壇して受け取る。髙橋澄夫校長先生が「卒業証書授与」のあと、名前を読み上げる。声が震えている。いつも冷静で穏やかな人柄の校長先生が、泣いている。じっと見つめる生徒たち。天にいる友だちも、一緒に卒業するんだな、と言い聞かせるように。

特別な卒業式は、翌平成二十五年三月九日も行われた。この様子は、河北新報に「全員卒業」という見出しで紹介された。不二が丘小学校からほど近い、名取市民球場近くに立てられたプレハブの仮設校舎でも生活をしたこの学年は、一年生の時には、閖上の校舎で学んだ最後の生徒たちだ。仮設校舎の体育館にはステージがない。中央に、赤いフリルで周りを飾ってあるムービングステージ（高さ二十～三十センチほどの可動式ステージ）を置くことにした。会場図を何度も検討して、つくり上げた卒業式だった。この日も、亡くなった生徒の椅子の上には、花束が置かれていた。そのうちの一人は祖母と兄が参加した。兄は、あの日が卒業式だった生徒だった。

特別な卒業式は、天にいる生徒も一緒に参加したと、今も思っている。

『桜散る頃～僕達のＬＡＳＴ　ＳＯＮＧ～』許諾者　山崎朋子（調府市立第五中学校教諭）

『旅立ちの日に』ＪＡＳＲＡＣ　２１００５７９－１０１

第三部　私たちのまなざし

震災からの一年を見つめて　あの学年の担任として

村田久美

【震災当時私たちはどう動いたか、その後の教育活動】

「あっ、地震！」私は、体育館のステージ上で思わず声をあげた。教職員が卒業式の片付けをしている最中だった。しばらくその場で揺れが収まるのを待ったが、一向に揺れは収まらない。今まで、体育館の天井にしっかりと固定された照明が揺れるのは一度も見たことがなかったが、この時の照明は、まるで紐で吊るされた電球が揺れているようで、あの巨大な照明が落下するのではないかという恐怖を感じるほどだった。

建物の崩壊をも感じさせる強く長い揺れの中、片付けをしていた教職員たちは、体育館の北側に飛び出た。立っていられない揺れ、尻もちをつき、地面に転がった。早く収まってほしいという気持ちの表れだったのか、両手で地面を押さえていた。何気ない日常を送っていた人々が恐怖におびえたこの瞬間、これから先に起こる事態を、どのように予測していたのだろうか。

教職員は、校舎南側の校庭に集合。藤村先生の携帯電話で大津波が来るとの情報を得ることができた。あらゆるものが散乱していると思われる校舎、倒壊の恐れもあるかもしれない校舎に入ることには大きな不安があったが、閖上地区には高い建物が少ないため、校舎内に戻ることが安全だとの判断に至った。校舎一階には、生徒たちの輝かしい活躍を示すトロフィーが飾られていたのだが、そのガラス棚は粉々に割れ、トロフィーや、壁に掛けられていた賞状の額も床に落下していた。二階の職員室の中は、どこに何が置いてあったのか分からなくなる

被災した音楽室

ほどの散らかりようだった。

とりあえず身の回りを片付け、足の踏み場を確保して身動きが取れるようにしていると、地域住民が閖上中学校に避難を開始してきた。教職員が手分けして三階の教室に誘導し、教室に並んでいる机を一ヶ所に集め、スペースを広げた。老人ホームから移送されてきたお年寄りたちは、常時起き上がっていることが困難な方々も多く、ベッドのマットレスごと搬送されてきた。三階の教室がいっぱいになると、二階の特別教室に誘導した。備蓄倉庫から簡易トイレを出して各階のトイレ個室に設置、毛布を出したが数が全く足りず、カーテンを外して代用した。

教室でそのような作業をしているとき、「名取川が！」と避難者の中から声が聞こえた。みんなの視線が、校舎北側を流れる名取川に向いた。川の流れは、今までに見たことのない勢いで、閖上の河口から上流へと流れていた。状況を把握する間もなく、次は、「津波だ！」と叫び声が上がる。教室の窓から南側の外を見ると、校庭の土が見る見るうちに真っ黒い津波の水に覆われていった。車や家がどんどん押し流されてくる。あちらこちらから避難者の悲鳴が聞こえてくる。

だんだん日が沈み、雪がちらつき、寒さが増してくる。備蓄品に衣服は無い。校舎内には、水に浸かった避難者も続々と入ってきたので、生徒が部活で使用していたユニフォームや教職員の衣服などを提供したり、陸上競技用スパイクのピンを外して履いてもらったりした。避難者の中には、在校生の姿もあった。無事でいたことを確認し合うと、彼らは誰に言われることもなく、必死になって教職員の手伝いをしてくれた。

夜が更けて、空は一面の星空。浸水した外の様子はほとんど見えないが、あちらこちらから炎が上がっていた。校舎すぐの西側にも炎が見え、このまま校舎に引火したら、外に逃げることができずにおしまいなのかと不安がよぎった。老若男女、家族の大切な一員であるペットなど、避難者がどっと押し寄せたのは、地震直後から日没迫る頃だったように記憶しているが、夜通し途切れることなく避難者が訪れていた。

夜中に、水に浸かりながら赤ちゃんを抱きかかえて来た家族には、放送室を解放した。備蓄品におむつやミルクは無く、ライフラインは完全に崩壊していたため、職員室の前のベランダで家庭科室のすりこぎ棒を一斗缶で焚火し、給食の残りの牛乳を温めたものを提供した。夜の食料は、備蓄品のクラッカーを各教室に配った。一人ずつ配るのには数が足りなかったので、教室にいる人たちで声をかけて譲り合いながら分けるようにお願いした。

教職員は、一晩中各教室の見回りや救護にあたりながら、職員室で身を寄せ合って暖を取り、ラジオを聞いて周囲の状況を把握した。職員室に配備されたラジオからは、「仙台市荒浜に、二百から三百の遺体が打ち上げられている」、「自衛隊が道路を開通させるために、漂流物の撤去にあたっている」と繰り返し放送されていた。

夜明けを迎えると、外の様子は一変。津波襲来時よりもより多くのものが漂着していた。校舎の中には車が突っ込み、二階部分がもぎ取られて流された家もあった。地獄絵図とは、このような状況のことなのか・・・と、現実として受け止めることが非常に難しかった。校舎の屋上に上がり、変わり果てた閖上の悲惨な姿を心に焼き付けた。

時々余震があり、そんな中、自宅の様子を見ようとして倒壊しかけた家の付近を歩く人たちの姿を見かけては、「津波警報が出ていまーす、避難してくださーい」と大声で呼びかけた。漂着した家の中に人がいるとの情報があり、卒業した教え子が、泥に足を取られながら生存者を確認してくれた。ちょうどその時、自衛隊が学校付近に到着しているのが見えたので、私は大橋先生とともに力を振り絞って、「自衛隊ー！中学校の校庭の家の中に人がいまーす。助けて下さーい！」と叫んだ。自衛隊の一行はすぐに中学校の校庭へ向かい、家の中からおばあさんを救出してくれた。

その後、津波に遭い、一晩中暗く寒い外で冷たい水に浸かりながら命を取り留めた人たちが校舎内に運ばれて来た。激しい津波の渦に巻き込まれ、体中に切り傷や打撲した人に手当てをし、衣服をさらわれた人はバスタオルでくるみ、低体温の人の足をさすり続けるなど、目の前にあることをこなしていくことで精一杯だった。

校舎内に流されてきた車

水道が止まっていたため、トイレは流すことができない。便器に山盛りになった汚物を、スコップでゴミ袋に移し替えた。校舎内はすでに避難していた人、搬送されてくる人、人を探しに来た人など様々な人が入り混じっていた。

十二日夕方、閖上中学校からの移送計画が発表され、大型輸送バス数台で津波被害のなかった市内の中学校へ移動することとなった。教職員も全員車を流されていたため、このバスに同乗した。バスに乗る際、津波被災地から脱出するために、履いていた上履きにレジ袋をかぶせてガムテープで足首を固定し長靴の代わりにした。バスに揺られながら、閖上の惨状を見るのが辛かった。

移動先の中学校に到着すると、卒業した教え子が、到着するバスから降りてくる人を一人一人確認しているのが見えた。彼女の手を握り、肩に手をかけながら声をかけると、母親と連絡が取れないとのことだった。後日、彼女の母親が津波の犠牲になってしまったことを知った。

閖上中学校の避難者を輸送後、到着先の中学校へ引き渡し、私たち教職員は一旦解散となった。

しかし、車は流出し交通機関も不通、名取市中心部から仙台市内の自宅まで徒歩で帰宅するしかなかった。同じ方面の教職員数名と、街の状況を確認しながら歩き始めた。電線が切れて垂れ下ったり、建物にひびが入って傾いていたり、アスファルトは波打っていた。

輸送バスに乗る際、津波の情景が頭にこびりついていたため、上履きにレジ袋をかぶせて防水仕様にしていたが、ここに水は無かった。数名で歩き始めてから最終的に古積先生と二人になり、「何年に一度の出来事なのだろう」と現実を捉えられない気持ちを話しながら、ひたすら北へ歩き続けた。

日も沈み、やっと仙台市内に入ったところでタクシー会社を発見、タクシーを依頼したが、やはりこの状況で手配はできなかった。しかし、しばらく歩くと奇跡的に一台のタクシーを拾うことができ、帰宅することができた。

その日から、移動手段も教職員の集合場所も無いため、数日間自宅待機をしながら生徒や生徒の家族の消息を教職員同士で連絡し合った。間もなく、職員室が名取市役所会議室に設置されることになり、車が手配できた教職員同士で乗り合わせたり、ひたすら自転車をこいだりして通勤した。

職員室での作業は、早急な生徒の状況確認だった。各避難所を巡り、誰がどこに避難しているのかを確認し、確認できた生徒から他の生徒の情報を聞きこんだ。また、各避難所や市役所のエントランスの掲示板にびっしり貼られた生存確認の氏名や連絡先の紙をチェックした。

そんな中で、在校生や卒業生、その家族と再会できた時には、手を取り合って「生きていたね」と涙を流し、これからに向かって励まし合った。私は当時、二学年特別支援学級担任だったが、その生徒は集団生活が苦手なのにも関わらず、大勢の避難者がごった返す避難所で、家族とともにたくましく生きていた。

だんだんと生徒の状況が明らかになる中、消息がつかめない生徒が特定されてきた。一年生の時に担任した生徒、教科で担当した生徒、部活で担当した生徒、行事で担当した生徒など、閖上中学校は小規模校だったため、教職員がすべての生徒に関わることのできる学校だった。津波の犠牲になった生徒の顔や声はすぐに思い浮かんだ。

その頃あたりからだったか、各避難所の生徒を集めて、支援物資で送られてきた文房具などを配布しながら、学習体制を整えていった。何名かの教員がグループになり、避難所になっている津波被害のなかった市内中学校の教室を訪問した。訪問した教職員が一人ずつ集まった生徒たちへ語りかけた。私の第一声は「生きていてくれてありがとう」だった。生徒たちは真剣な眼差しで、私を見つめながら聞いてくれていた。その時の表情は今でも忘れることはできない。そして、生きていることの奇跡、生きることの厳しさ、素晴らしさを改めて実感した。

三月下旬、津波被害のなかった学校の体育館で修了式が行われた。輸送バスで各避難所から集まってきた生徒たちは、家族や友だちを亡くし、今まで生きてきた中で一番辛かったであろう体験をしているにも関わらず、久しぶりに再会した友だちに笑顔で接している姿は、微笑ましく、私の励みとなった。

しかし、震災孤児となった生徒への言葉は何一つ見つからず、ただ顔を見るなり抱きしめることしかできなかった。

【被災校での生徒の様子、頑張り】

四月、市内の不二が丘小学校の空き教室を借りて、本格的な学校生活が始まろうとしていた。この年度も、私は持ち上がりで特別支援学級の担任となり、三学年所属で保健体育を担当した。入学してから三年生までずっと持ち上がってきた学年であり、私のような講師という立場の教職員が、生徒の入学から卒業までを見守り続けることができるのは珍しい。

初めに、特別支援学級の様子について。特別支援学級は二学級あり、一つの教室の真ん中を壁で仕切って半分ずつ使用した。私の担当の生徒は、先述したように、大人数の中での活動が苦手だったのだが、避難所での生活を経験し、大人数の中で過ごすことができるようになった。具体的には、始業式や被災地支援のための行事など、大人数が集まる場所にも抵抗なく入っていくことができるようになり、交流学習でも通常学級の生徒のグループに交わることができるようになった。

不二が丘小学校東校舎

前年度から計画していた修学旅行は、様々な方々の協力と、生徒たちの頑張りで実現することができたのだが、その時のホテルの宿泊も、通常学級の生徒と一緒の部屋に宿泊できた。交通手段や研修先の変更、自主研修などはできなかったが、全員が一台のバスに乗り、ほのぼのとした中にも充実した活動となった。浦安のホテルからバスが出発するとき、従業員の方たちが総出で見送りを計画していたようで、バスの運転手さんもロータリーを一周してその見送りに応える演出をしてくださり、感激の涙があふれた。帰りのバスでは、みんなで閖上中学校校歌を歌い、その歌を聴いて楽しんでいた担当生徒の表情が印象的だった。

その他、日常の学習では、移転先学校の近隣の名所や公園などへランニングをしながら、閖上を離れて新しい土地を知る機会とした。新しい体験やたくさんの人との関わりを重ねる中で、自分の考えを、自分に合った方法で表現する力も身に付けた。特別支援のこの生徒は、震災の辛い経験を乗り越えて、集団生活への大きな第一歩を踏み出したのだった。

次に、三学年保健体育の授業の様子について。年度始めは、効率的に隊列を組むための「集団行動」の学習に取り組む。「前にならえ、気を付け、休め、前へ進め、二列縦隊」など、基本的な行動様式を習得するのだ。生徒たちにとってこの学習は、単調で形式的で面白みがないと感じてしまうこともあるのだが、平成二十三年度は、震災の経験から、非常時に効率的に行動することにより、自分の命だけでなく、大切な人の命を守ることにもつながるのだということを徹底して伝えて学習に臨んだ。

毎回授業の始まる前に、その日の地震の回数を生徒に知らせると、体に感じない揺れが何百回と起きていることを知り、またいつ大きな揺れに襲われるか分からないという不安とともに、その時自分はどう行動するか真剣に考えて学習に取り組んでいる様子が見られた。その学習は、間借りしていた小中学校合同の避難訓練にも活かされ、静粛で早急な行動は、小学生の生きた見本となった。

授業をする上で、教材教具の不足があった。体操服は、支援物資で届いたえんじ色や水色に白いラインが二本入ったレトロなデザインのジャージを、教職員も生徒と一緒にいかに格好良く着こなすか競い合うように着用した。他にも、バレーボールやラグビーボールなどの寄付や、柔道着は一人一着ずつ無償で提供してもらうことができた。

間借り生活の中で、楽しみの少ない生徒に、卒業前に少しでも思い出に残ることができればとの気持ちで、二単位時間限定でバレーボール大会を開催した。チーム編成や対戦方法、当日の役割分担など、生徒主導で考え、誰もが平等に楽しめる大会となった。保体の授業を始めるにあたり、私は「たくさんの方々から支援を受けている。それをどう恩返しするのか。お金やモノではなく、今、自分が一生懸命生きていること、目の前にあることを精一杯取り組むことが何よりの恩返しになるのではないか」と話した記憶がある。生徒たちは、そんな教科担当の思いを成し遂げてくれた。

最後に、名取市中総体について。名取市は、陸上競技・水泳・その他の競技の日程が別日になっている。その年度の開催について、大橋先生と私は名取市中体連役員として、他校役員の教職員の方々と検討を重ねた。特に閖上中学校は、津波被害のために練習場所を失われただけでなく、用具の浸水、避難者へユニフォームやスパイクシューズの提供をしたために、必要な物品が皆無だった。また、避難所から通学してくる生徒たちが大会に参加する気持ちになれるのか、家族はどんな気持ちになるか、参加させたほうが良いのかさせるべきか・・・など、判断に迷った。

他校の役員の方々からのご配慮もあり、閖上中学校も参加する方向で実施が決定した。陸上大会参加者は、例年、希望者以外にも体育の授業等で記録が良かった生徒に教員側からオファーすることもあるのだが、その年度はこのような状況から、学校側から個人的なオファーはせず、記録の良し悪しに関係なく純粋に参加したいと考えている生徒を募った。予想以上の数の生徒から参加希望があった。

その日から、放課後は間借りしていた小学校から少し離れた陸上競技場に移動し、教職員も種目ごとに分担しながら、「チーム閖上」で練習に励んだ。スパイクシューズは隣町の中学校から貸していただき、ユニフォームは支援物資で届いた白いTシャツに、油性マジックでそれぞれのゼッケン番号を自分で書き込んだ。

陸上大会は、開催場所を仙台大学に変更して開催された。大会当日、生徒たちは、格好や身なりなどで引け目を感じることなく、力の限り戦い、チーム一丸となって応援した。生徒たちの笑顔と力を出し切った後の満足した表情を見て、あの時自分が陸上大会の開催は難しいのではないかと考えたり、できない方向に気持ちが傾いたりしてしまったことを反省した。そして、非常時においていかに通常どおりの活動に戻すか、通常どおりに近づけるかということに向かっていくことが大切なのだと学んだ。

【卒業後の生徒たち】

卒業後、あの時の生徒たちはそれぞれの道を歩き始めた。当時、入学から卒業までを見守ることができた学年の生徒とは、成人式の後にゆっくり顔を合わせる機会があった。学生生活を謳歌しながら夢の実現に着実に歩んでいる人、すでに夢を実現している人、自分の生き方を問うている人など、様々な境遇ではあったがしっかりと命を大切に生きていた。

その後も、偶然街中で顔を合わせる教え子から、友だちの情報などを聞くことができている。教員志望の人、教員になった人、先輩と一緒に営業回りをしている人、中学校の時からの夢を初志貫徹実現した人など、情報が入るたびに喜びが増えている。

私自身、震災の津波で実家は全壊、両親と祖母、おば二人を亡くした。今まで自分にストレスは無縁のものだと思っていたが、この震災を経験してそうではないことを知った。記憶ができない、話の意味が頭に入らない、本を読んでもどこを読んでいるのか分からくなる、文書を組み立てられず説明ができない、言葉が出にくい、落ち着かない、笑えない、いらいらする・・・、だから人に会うことが本当に辛かった。

そんな中でも、震災後の一年間、閖上中学校で勤務できたのは、この生徒たちに囲まれていたからだと、今でも感謝している。この学年の他にも、震災前に卒業した教え子たちも、両親を亡くしてもたくましく生き、新しい家族を作り幸せに生きている人、夢を実現した人など、閖上中学校の教え子たちの知らせを耳にしたり、一緒に酒を酌み交わしたりすることができるのは、閖上の人々が育んできた強い絆があるからだろう。

卒業生　そして新入生の担任として

高瀬明子

三月十一日は卒業式でした。二クラス四十八名の卒業生。私は一年生から三年生まで担任をもたせていただいたので、とても思い入れがある学年でした。最後の学活では、生徒たちがサプライズで『3月9日』を歌ってくれました。

そんな生徒たちを中学校から送り出したその数時間後にあの大震災が起こりました。地震が起きたときは、閖上公民館で卒業を祝う会をやっている時間だったので、きっと全員無事だろうと祈るように思っていました。

『3月9日』を歌う生徒たち

私は、学校の体育館で卒業式の片付けをしていたときだったので、すぐに体育館から校庭に逃げました。地面が波打ち、とても立ってはいられないほどの大きな揺れだったので、校庭にしがみつくようにしていました。学校の近くの家の屋根瓦が落ちていく光景、プールが波打って水があふれてくる光景などが目に入ってきたことを覚えています。揺れが収まった後すぐに、「津波がくる」と聞いて校舎内に入りました。職員室に行くと、足の踏み場もないほど書類などいろいろな物が散乱していました。

「避難者がくる」と聞いて、三階へ行きました。すぐに避難してきた小学生を教室に入れた後、もっと避難してくることを想定して、三階西側の教室の机や椅子をベランダに出す作業をしていました。

そのとき、「津波だ」と誰かが言ったのを聞いて、教室のベランダから海を見ました。津波を見たことはなかったけれど、一目で津波とわかりました。真っ黒な大きな壁のような波が家や車を巻き込みながらこちらに迫ってきていました。私はベランダから校庭にいるお年寄りの方に「急いで校舎に入って！」と叫びました。すぐに校庭にも水が入ってきて、校庭に停めていた車や逃げてきていた人が流されている様子を何もできずに呆然と見ていました。

その後、廊下側から多くの人の悲鳴が聞こえたので廊下に出ました。目の前の窓から見えたのは、家や車や人も巻き込みながら津波が押し寄せている光景でした。何が起こっているのか到底理解できない光景でした。その様子を携帯電話で撮影している人もいましたが、私にはできませんでした。

その後、一階まで降りていくと、一階の廊下には水がもう入ってきていてずぶ濡れになりながら逃げてきている人たちであふれかえっていました。避難してきたその中には、当時中学一年生だった生徒たちも数名いました。彼らは、「助けて」と叫びながら流されそうになっているおばあちゃんを水から階段へ引き上げていました。

私が閖上中学校から脱出できたのは、翌日の夕方でした。校舎内よりも外はひどい臭いがしていて、泥で靴が汚れないよう袋をかぶせて外に出ました。五叉路まで歩き、バスで名取第一中学校まで避難しました。バスの中から、流されてきた泥まみれの生活用品や車、家の一部、漁船、瓦礫、壊れた信号機・・・などを見ながら、自分は助かったけれど、今何が起こっているのか、これから学校はどうなるのか、卒業させた生徒たちは大丈夫だろうか、といろいろな思いが頭の中を巡っていました。

閖上は壊滅状態、どうか全員どこかで生きていてくれと、自分のクラス二十四名、避難所を回ったり、電話をかけたりして、一人一人安否確認をしました。「○○の避難所にいる」「岩沼の親戚のところにいる」「家族みんな無事です」「津波に流されたけど助けられて、病院で無事です」と聞いては安堵しました。でも、「母親が見つからない」「おじいちゃんが見つからない」と家族が確認できない生徒もいました。何と声をかけていいかわからず、ただただ聞くだけしかできませんでした。

何日経ってもどうしても安否がわからない生徒もいました。電話で連絡をとりながら、空港ボウル（ボウリング場）に設置された遺体安置所にも行きました。全員の安否が確認できるまではと思い、行きたくなかったけれど毎日のように行きました。毎日貼り出される名簿を見て、生徒の名前がないか確認しました。

四月になって、市内の不二が丘小学校に間借りして学校が再開すると決まってからも、たった二十四名しかいない私のクラスの生徒全員の安否確認は終わりませんでした。四月二十一日に新年度の始業式をすると決まってもわかりませんでした。

私は、新一年生の担任をすることが決まっていたので、新入生を迎えるために、教室の床磨きをしたり、学級通信をつくったりと準備をしながら、安否確認を続けました。

始業式の三日前、空港ボウルに行ったとき、名簿に探していた生徒の名前を見つけました。

始業式で新入生を迎えたその日に、やっと最後の生徒と葬祭会館で会うことができました。こんな経験は二度としたくないし、あってはいけないと思いました。

三月十一日は、まだ公立高校の合格発表がされていませんでした。だから、大半の卒業生は試験を終えていましたが、進学先が未定の状態で大震災に遭いました。残念ながら不合格だった生徒とは、市役所の臨時職員室からやりとりをして、進学先を決めていきました。

本来ならば、進学先が決まり、新しい制服や新しい教科書を買って、これから始まる高校生活に胸躍らせながら過ごす時期に、彼らの多くは避難生活をしていました。身のまわりのものを失い、中には大切な家族を失った生徒もいました。

これからどうなるかわからない、不安しかないような中で進学していく彼らに、何かできることはないかと考えましたが、避難所を回って声を掛けながら、彼らの様子を見守り、そして無事に高校生活をスタートできるよう、祈ることしかできませんでした。

新一年生三十五名一クラス。九割以上が大震災により家を失った生徒でした。中には大切な家族を失った生徒もいました。避難所から通ってきている生徒が多く、環境が激変しているそんな三十五名の心のケアをしながら、担任をしていけるのだろうか不安しかありませんでした。

私自身も心がぐちゃぐちゃの状態で、閖上中学校を選んで入学してきたこの三十五名ときちんと向き合えるのか不安でした。

入学式は、全員私服。支援物資でいただいた服を着ている生徒も多くいました。ジャージもスクールカバンもない、小学校の教室は三十五名には狭い・・・いろいろと不便なところはありましたが、生徒は誰も不平不満を言わず、「中学校に入学できるか不安だったけど入学できてよかった」という声が多かったようです。

私はこの子たちのために、教員としてできることは何かを毎日考えていました。自分にできることは全部やろ

新入生を迎える会で

入学式の様子

学級目標「ゆりあげ」

支援物質の様々なジャージを着る生徒たち

うと思っていました。

人は衣食住が確保されていないと、生きることが辛いとつくづく感じました。ありがたいことに各方面からの多大な支援のお陰で、服やジャージ、カバン、文房具、そして制服をいただきました。名取市の給食センターは無事だったため、完全給食。住まいは、避難所から借り上げ住宅や仮設住宅へ変わっていきました。あの時は本当に毎日毎日少しずつ生徒たちの生活環境が変化していて、今どんな状況で生活しているのかを一人一人把握することが大変でした。

入学して間もなく、学級目標をつくりました。この子たちは、どんな目標をつくるのか興味がありました。みんな閖上愛が強く、どうしても「ゆりあげ」という言葉を入れたかったようです。「ゆめにときめけ　りっぱな閖中生になるために　あかるく　げんきに活動しよう」になりました。

これまでだったら、小学生っぽいあいうえお作文だと、考え直させていたかもしれません。でもこの時は、涙が出そうなほど彼らの思いが伝わってきたのでこれでいこうと思いました。しばらくして行われた授業参観後の学級懇談会で、保護者の皆さまにこの経緯を説明したときに、大変喜ばれていたように記憶しています。

教務主任から「行事は例年どおり全て行う」という話を聞いたとき、当時特活主任だった私は、「こんな状態で全部できるわけがない」と内心思いましたが、できるところまでやってみようと思い、生徒会活動を例年どおり行うよう計画しました。

何よりも、当時の生徒会役員の生徒たちが、何もなかったところから一歩ずつ前に進もうと頑張りました。大変だったけれどやってやれないことはないのだなと思いました（もちろん不二が丘小学校や支援してくださった多くの方々、保護者のご協力のもとですが）。

一つ一つの行事が実施できたことが、生徒たちにとっては良かったと思います。生徒たちに、「震災に遭った学校だからできない」「自分たちはできなくても仕方がない」という思いを抱かせるのではなく、一人ではできないけれど、みんなで助け合えば、頑張れば、できないと思っていたこともできる、という思いをもたせられたのではないかと思うからです。

同じ閖上という場所で育ち、同じ体験をした生徒たちだからこそ、一緒に過ごす時間は大切で、共にわかり合い、助け合い、心が癒されていく部分があったのかなと思います。

時々思い出したように、自分の体験を語り出す生徒もいました。震災当日、閖上小学校で何をしていたのか、どんな気持ちだったか、どこに避難していたか、避難所生活はどうだったか、楽しかったことや辛かったこと…、

閖中祭で太鼓を演奏する生徒たち

校内合唱コンクール

太鼓の練習風景

書きぞめの作品「大志」

そんな時はみんなで話を聞きました。今思うとそういった時間の積み重ねが大切なことだったのかなと思います。

私自身も、心に余裕がなく、普通ではない毎日を過ごす中で、中学一年生らしいかわいらしさと素直さ、明るさに日々救われていたと思います。

全国にとどまらず、世界から支援がたくさん届きました。言葉がわからない国からもたくさんメッセージが届きました。読めないけれど、励ましてくれていることは伝わってきました。校舎のあちこちにいただいたメッセージや、千羽鶴、イラストなどを掲示しました。

あのとき、多くの方々が、「閖上を応援しているよ」という温かい気持ちをいろいろな形で伝え続けてくれたからこそ、生徒たちは踏ん張って、日々の学校生活を送ることができていたように思います。本当に感謝しています。

＊学級通信の一部です

震災復興応援メッセージが展示されています

十一月二十八日（月）～十二月二日（金）の一週間，階段や廊下に応援メッセージを展示しています。これは、大衡中学校の先生が、被災地の中学生の励みになることを願い、県内の中学生のメッセージを集め、その一つ一つを筆で書いたものだそうです。同じ中学生がどんなことを考えたか、どんなことを励みに生活してきたかなどが伝わってくるものがたくさんあります。昨日、これらのメッセージをゆっくり見る時間をとりました。一年生のみんなは、たくさんの心に響く言葉を前に、これまでのことを思い出したり、考えたりしながら見ていたようでした。何人かの感想を紹介します。

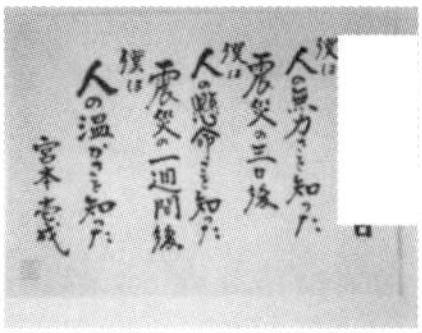

- 友を大切に思ったとか、絆、感謝という言葉が多かった。とてもいい言葉ということが改めてわかった。
- 命があれば、乗り越えられないことはないって本当だと改めて感じました。私たちはだれかに支えられて生きていると、言葉を通して教えてもらいました。
- 生きていることが当たり前ではなく、生きているのが「奇跡」なのかなと思いました。

- どんなに辛くても、笑えば辛い気持ちもまぎれるし、みんなで笑えばうれしい気持ちになると思いました。
- 人の人生はとても長くあるわけじゃない。その限りある人生を全力で生きようと思いました。
- 今生きていることがとても不思議に感じて生かされているのだと改めて実感した。自分のちっぽけさを知り、周りの人の大切さを知ることができた。

- 「助けあえる友がいることに本氣（マジ）で感謝」を見た時に「3月11日の夜にみんなで助け合ったなあ」と思いだしました。これからもみんなで助け合って生きていきたいです。

- 前まで、震災のことなどを考えることがあってあまり前向きにはなれなかったけど、これを読んで、ちょっと前向きになれました。

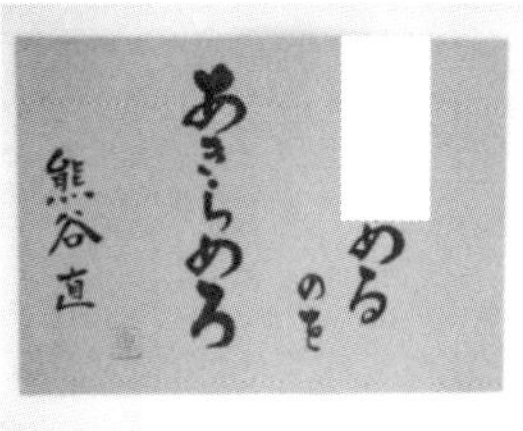

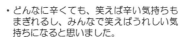

支援感謝、笑顔の傘 ―― 名取・閖上中

会場の体育館には、笑顔の傘が一斉に開いた

東日本大震災で被災し、仮設校舎で学ぶ名取市閖上中の生徒が7日、復興支援への感謝の気持ちを込めて、子どもの笑顔を印刷した傘の花を咲かせるパフォーマンスを披露した。

「Color えがお114色の虹」をテーマに、同市不二が丘小の体育館で開催した「閖中祭」のセレモニーとして実施。全校生徒114人が、東北各地の被災地で撮影された子どもの笑顔の傘を一斉に開いた。傘はNPO法人メリープロジェクト（東京）から提供された。

音楽と共に閖上中の生徒たちの生き生きとした表情を撮った映像もスクリーンに映し出された。印象的なパフォーマンスに、会場からは大きな拍手が送られた。3年の三浦[illegible]さん⑮は「支援に対する感謝と復興への願いを込めて、みんなが一つになれたと思う」と満足そうに話した。

北新報平成 25 年 9 月 8 日付記事

阪神6選手 笑顔のキャッチボール
仮設校舎の名取・閖上中で交流

プロ野球阪神の選手が14日、東日本大震災で被災して仮設校舎で学ぶ名取市閖上中を訪れ、生徒と一緒に給食を食べたりキャッチボールをしたりして交流した。

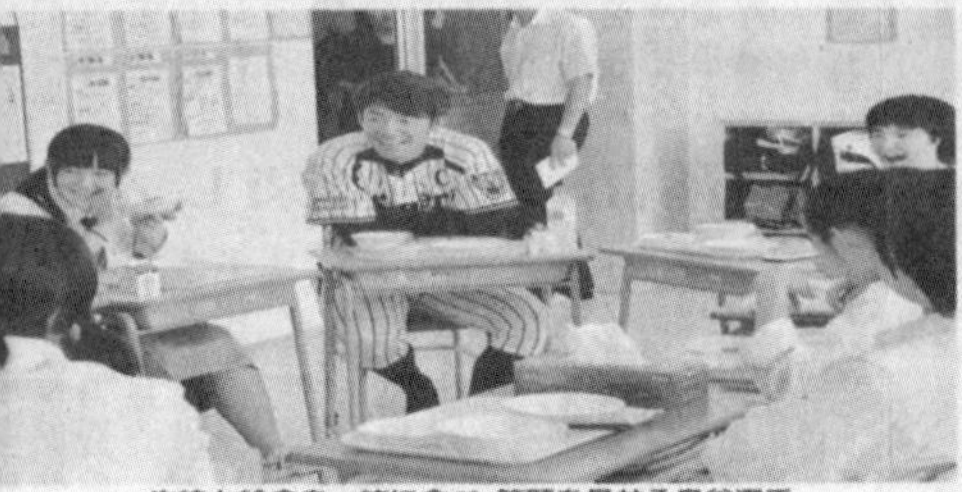
生徒と給食を一緒に食べ、笑顔を見せる鳥谷選手

同球団の被災地訪問は3年目。鳥谷敬、西岡剛、桧山進次郎ら6選手が訪れた。机を並べて給食を取りながら、日ごろの学校生活や部活動などについて語り合った。

体育館では生徒からの質問コーナーをはじめ、選手とのキャッチボールなどさまざまなイベントで楽しい時間を過ごした。

生徒を代表し野球部部長の3年[illegible]藤[illegible]人君⑭が「震災で何より大切な仲間を失ったけれど、日本中、世界中からの応援で今もスポーツを続けられている。楽しい時間をありがとうございました」とあいさつした。

鳥谷選手は「生徒たちの元気な姿を見られて良かった。これからも活動を継続していきたい」、桧山選手は「僕らが逆にパワーをもらった。自分ももっと頑張らなければならないと思った」と話した。

北新報平成 25 年 6 月 15 日付記事

さよなら校舎
名取・旧閖上中 解体着手

白煙を上げて旧閖上中校舎を取り壊す重機＝24日午前10時45分ごろ、名取市閖上

あの日の記憶が刻まれた建物がまた一つ、姿を消す。名取市は24日、東日本大震災で被災した閖上地区の土地区画整理事業に伴い、旧閖上中校舎本体の解体工事に着手した。

（19面に関連記事）

校舎は鉄筋コンクリート3階建て。2階と3階のバルコニーの一部を、大型重機2台を使って取り壊した。砕けた壁や床が白煙を上げて崩れ落ち、激しい音が周囲に響き渡った。解体は来年2月ごろまで続く。

河北新報平成 27 年 2 月 25 日付記事

ゆりあげの空に　―二〇一一・三・一一のあの日からの想い―

佐々木麻里香（旧姓：伏見）

名取市手倉田にある十三塚公園。その敷地内の遊具広場、天気の良い日には、未就園児の幼い子どもたちやその家族で賑わう。

「ママね、ここで昔お仕事していたんだよ」「ママ、もう何もないよ」駐車場に車を停め、幼い娘の手をひきながら、私は北側の更地を見つめて話す。閖上中学校のプレハブの仮設校舎があった場所だ。あの場所に足を運ぶたび、私はいつも当時の子どもたちのことを思い出す。閖上の旧校舎で入学し中学生となり、旧校舎での中学校生活を経験した最後の学年の生徒たちだ。

震災後、名取市立不二が丘小学校での間借り生活を経て、十三塚公園内の仮設プレハブ校舎を巣立っていった。

【あの時、閖上にいなかった私】

二〇一一年三月十一日の東日本大震災当日、私は多賀城市内の東豊中学校に勤務していた。その日、その学校も閖上中学校同様卒業式。式後、卒業生を見送り、簡単な後片付けを終えた後、職員室で遅めの昼食をとり、談笑していた矢先だった。

経験したことがない揺れだった。非常に強い、そして長い揺れ。言葉も出ない。近くにいた先生と手を取り合って立っているのが精一杯だった。頑丈であろう鉄筋の校舎ですら壊れるのではないかと思うほどだった。強い揺れがおさまった後も、しばらく声が出なかった。

しかし、当時の私には、その強い揺れ以上にこれからおそろしいことが起きようとしていることまでは考えが及ばなかった。書類や物が散乱した職員室。事実を飲み込むのにも時間がかかった。まもなくして、大津波警報が出ていることを知った私たちは、校舎を出て、より高い場所へと避難した。

この校舎自体、少し高い場所に存在していたのも、余震や津波から逃れるためだった。雪が散らつき、風もあった。凍りつきそうな寒さの中、多くの人がより高い場所へと避難していた。

袴を両手で持ち上げ、スニーカーで道路を歩いた。一歩一歩前に足を運ぶたび、平坦な場所よりもこんなに高い場所にまで逃げないといけないくらいの津波が本当に来たらと、恐怖心が押し寄せた。

より高い場所といっても周辺は住宅が多く、見晴らしは良くない。学区内で実際に何が起こっていたかは、数日後生徒の安否確認のために歩き回るときに知ることとなる。

まもなくして津波は容赦なく学区内の一部を襲い、多くの生徒やその家族がたくさん避難してきた。人も車もものすごい数だった。駐車場のみならず、校庭も避難してきた車で埋め尽くされた。何が起きたのか、被害はどれくらいだったのか、確かな情報が得られないまま、夜が更けていった。

校舎の窓からは、精油所が爆発し、ぼうぼうと燃えさかっているのが見えた。火はどんどん大きくなり、迫ってくるのではないかと再び恐怖をおぼえた。「荒浜に二百から三百の遺体があがっている」ラジオから流れるその言葉だけは、しばらく耳からはなれなかった。

翌日からは、生徒の安否確認や被害状況の把握のため、生徒の自宅や自衛隊駐屯地などを歩いてまわった。建物の被害はあったものの、幸いなことに在校生の命に別状はなかった。その後、教職員は避難所の運営の手伝いや、在校生一人一人との面談を行い、状況把握に努めた。

【そして、閖上の地へ】

名取市立閖上中学校へ異動になることを知ったのは震災後だ。震災翌日、三月十二日の河北新報朝刊の第一面の写真。あの写真を見た時は、まさか自分がその学区の学校に勤務することになるとは思っていなかった。私自身は仙台市で生まれ育ったが、閖上は父の生まれ育った町。閖上の花火大会やみなと祭り、夏休みには海浜プールに通うなど、とても身近な存在だった。まさかその閖上が。あんなに内陸のほうまで。言葉は出なかった。

震災前から、閖上で生まれ育った人々の絆は特別だと感じていた。父は震災当時還暦を過ぎていたが、震災前までは毎年のように同窓会に参加していた。何かあるとすぐに集まっては友だちと酒を飲む。道を少し歩くと知り合いに合う。そんな町だった。そしてそんな場所での震災。たくさんの人が亡くなり、たくさんの人が家を失った。その地域の人々の心のよりどころとなっていた「故郷」、それを失った人々が生活する閖上の地での勤務は、正直不安でしかなかった。

二〇一一年四月一日、初めての出勤。久々にスーツに袖をとおした。周りには避難所で支給された洋服やジャージ姿の人ばかり。スーツ姿で出勤することですらはばかられた。

初めて閖上中学校の先生方と出会ったのは、増田にある名取市役所だ。階段を昇り、最上階の臨時職員室が置かれた六階を目指す。そこは閖上小学校との合同職員室だった。先生方は行方不明生徒の安否確認や避難所めぐりに追われていた。先生方の表情から、肉体的にも精神的にもいっぱいいっぱいであることが伝わってきた。

遺体安置所をまわって行方のわからない生徒を探す先生方を前に、自分の無力さに失望した。帰宅してなぜか涙がこぼれる。数日後、当時の教頭先生が、被災した閖上方面へ転入職員を連れて行ってくれた。一変してしまった閖上の街並み、がれきで埋め尽くされた道路、あちこちに積み重なる泥にまみれた自動車、マスクをしていても鼻をさす臭い、車を走らせたときの砂埃。ここで多くの人が亡くなったこと、まだ見つかっていない人々がたくさんいることへの深い悲しみと共に、ここからどうにか生き延びた人々に、私はどう声をかけられるのだろうか、そして閖上中学校の子どもたちに私は何を教えてあげられるのだろうかと心が苦しくなった。

避難所は、名取市内数ヶ所にわかれていた。教員二人一組になって避難所をまわり、在校生と学習会を行った。私にとっての閖中生との最初の出会いだ。子どもたちとはたわいもない話をした。震災当日の話や避難所での生活のこと、家族のことや部活、趣味、好きな歌手など多岐にわたった。

初対面の私にですら何でも話し、言葉がとまらない生徒がいる一方、寡黙にプリント学習に励む生徒もいた。複雑な感情を抱えながらも、互いを思いやり、彼らは避難所でもその日その日を懸命に生きているようだった。どうにか早く通常の中学校生活をおくらせてあげたいと心底思った。

四月二十一日、名取市立不二が丘小学校で始業式を迎えた。校舎を間借りしての中学校生活の再開である。制服も勉強道具も何もない状態からのスタート。避難所で支給された私服やジャージを着て、スクールバスに乗って多方面から子どもたちが集まった。

どんなに苦しくても、どんなに失ったものが大きくても、人は集まると自然と笑顔になる。その笑顔が互いを勇気づけ、私自身もその笑顔に何度となく救われた。幼い頃からずっと一緒だからこそ語らずとも互いを思いやれる生徒たちの不思議な力に驚かされた。その力をもつ生徒たちが集団で共に時を過ごすことの意義は偉大だった。

震災当時一年生だった生徒たちも進級し二年生になった。私はこの学年の担任となった。ここから彼らの卒業までの二年間がスタートした。

私は、正直にそして真剣に、自分の気持ちを子どもたちにぶつけた。震災当時閖上にいなかったが、一人一人のみんなの気持ちを理解したいしそう努めたいこと、亡くなった子どもたちや震災を機に転校した生徒も含めて旧校舎で過ごした一年間も知りたいこと、一緒に時間をかけて一歩ずつ前に進んでいきたいこと。言葉ではうまく言いあらわせなかったが、子どもたちは一人一人真剣に耳を傾けてくれた。

すでに頑張っている子どもたちにもう頑張れとは言えないけれど、今日からの学校生活の中でみんなが目標に向かって新しい一歩を踏み出したい時がきたら、しっかりと背中を押す、そんな存在になりたいと改めて決意した。

【あたり前に経験するはずだったことをあたり前に】

学校が再開するにあたり、私が日頃から大切にしたいと強く思った点は、生徒たちの心に寄り添うことは言うまでもないが、それと同時に、中学生が中学生の時期に本来であれば経験すべきあたり前のことを、あたり前に経験させる環境を、そして機会を作っていきたいということだった。

震災直後は特に、誰もが心を打ちひしがれ、明日が、未来が何も見えない状態であった。しかし、時は止まってはくれない。目の前の生徒たちにとって二度とやってこない「今」を生きることも大切なことだと思ったからだ。だからこそ、被災し、誰もが経験したことのない辛い状況や言葉でもどう表してよいかわからないような心の状態を酌みつつも、教師として「今」を大事に経験できるよう導きたいと強く思った。

勉強、部活動、学校行事、どれをあげても、通常の環境とはほど遠い。私の教科担当は英語。通常時ですら週四回の授業の中で言語を習得する難しさに何度も直面する。

避難所から徐々に仮設住宅への入居が始まったものの、家庭での学習環境が厳しいことは十分理解していた。しかしながら、あえて通常と同じように、予習―授業―復習の流れを大切にし、家庭での学習課題も提示した。基礎力の定着はもちろん、応用力を身につけさせたいと、毎週末には習熟度別の課題も提示した。

驚くことに、自分の部屋どころか勉強机、家庭で集中して学習できる時間がほぼない状況であるにもかかわらず、どの課題にも真剣に取り組む生徒が多かった。授業では英語で「話す」という雰囲気を自然と作り出すため、笑顔での授業を心がけると、生徒たちも自然と笑顔で楽しい雰囲気を作り出してくれた。

部活動では、初めは場所も道具もない状況からのスタートだったが、担当した卓球部では、新しい卓球台やラケット、ボール、ユニフォームと多方面からたくさんの支援をいただいた。活動場所が確保できなかった頃には、名取市内の中学校で合同練習を行わせてもらった。本来であれば、市の中総体や新人戦で戦うライバル。しかし快く練習する場所と機会を提供してくれたことや、一緒に同じ時間を過ごしてくれたことには、感謝しかない。

学校行事にも全力で挑んだ。一年目の夏休み明けの文化祭。行事に向けての話し合いや準備での友だちとの何気ない会話。幼い頃からこうして共に成長してきているんだなと改めて実感した。そして、この互いに過ごす何気ない時間は、彼らの心にとって、大切な時間だと思った。

一方、担任との一対一の面談では、自然と涙がこぼれてくる。震災当日のことを思い出して涙する者、家族を思って涙する者、先が不安で涙する者、そんな涙する者を心配して涙する者。「夜になるとお母さんが泣いているんだよね」「家族が最近喧嘩ばっかりなんだよ」「自分は家も流されてない。家族もみんな元気。だけど・・・」自分のおかれた状況がつらい状態にもかかわらず、家族や友だちを気遣い涙する。でもその五分後には互いに笑い合ったりしている。私たちはそうして「今」を積み重ねていった。

幼い頃から、小学校、中学校と共に時を過ごしてきて、仲が良い子も気心しれた子も、大喧嘩をしたことがある子も、互いを知り、互いを認め、思いやれる存在であるからこそ、同じ時を過ごすことで自然と困難を乗り越えようとしていた。私は担任した二年間で「ゆりあげっこ」の底力を幾度となく感じることとなった。

【そして、卒業】

二〇一二年四月。中学校最後の学年を迎えた。私は持ちあがり、再びこの学年の担任となった。夏には十三塚公園内のプレハブ仮設校舎も完成し、引っ越しを行った。

半年後、その場所で卒業式を迎えた。この生徒たちが入学したのは名取市閖上の旧校舎。一年生の三月に震災を経験し、名取市立不二が丘小学校、そして仮設校舎と、三つの校舎で学校生活を送ることとなった。

仮設校舎の体育館には、いわゆるステージがない。当時教務主任だった宮本先生が、子どもたち、そしてその保護者のために、どうにか心に残る卒業式を、という強い思いで、夜になると非常に寒い体育館に何度も足を運んではパソコンに向かい、原案を考えてくださった。

体育館の真ん中に、可動式のステージを設置した。生徒は入場すると、保護者席や来賓席、教職員席の前を、体育館を一周するように赤絨毯が敷かれた道を、時間をかけて移動する。卒業する生徒一人一人の顔が、誰からもしっかりと見られる配置だった。門出にふさわしい最高の空間となった。

私自身、震災ぶりに着る袴。いろいろな思いがこみ上げた。どうか生徒の呼名(生徒一人一人が壇上で校長先生に卒業証書をいただく際に、担任が一人一人の生徒の名前を呼ぶこと)が終わるまでは涙を流さないと心に誓った。激動の三年間を過ごした生徒たち。大切な家族や友だちを失い、自分が生まれ育った家や町を失い、経験する必要のない中を、彼らは懸命に生きた。

私は、一人一人の生徒の名前を呼びながら、真剣に「はい」と返事をするその顔、そしてその目を見て、きっとこれからの人生で今までがそうであったようにそばにいる人たちを笑顔に、そして幸せにしながら生きていける、困難はこれからもあるだろうけれど、神様お願いだからこんどこそ頼むよと強く思った。

彼らは懸命に「中学生」を生きることで、仲間を、家族を、私たち大人を前に向かせた。目標を、未来を失いかけた大人たちを、知らず知らずのうちに未来に導いた。そんな彼らの卒業式を私は一生忘れない。

五年後の成人式。晴れ着やスーツに身を包み、立派に成人した生徒たち。夢や目標に向かって頑張っていること、努力していることを知った。非常にうれしかった。式の間、二階席で同じく彼らを見守る学年主任の古積先生は、彼らが中学一年生だった頃の集合写真を持ってきてくれていた。お空へいってしまった子どもたちも、転出した子どもたちも全員がそろった写真を。

震災からの二年間、私は閖上の子どもたちと「今」を生きた。私の周りには閖上の子どもたち、その家族、閖上中学校の教職員、たくさんの仲間がいた。互いに話をすることでわかりあえたことも、話をせずともわかるようになったこともある。互いに苦しんでいる時も、どうしてよいかわからない時も、前に進めたのは、共に同じ時を過ごしたからだ。

子どもたちが目標に向かって一歩を踏み出し始める時、そっと背中を押せる存在になりたいと決心したものの、毎日少しずつ私の背中を押し、前に進ませてくれたのは、あの子どもたちであり、その家族であり、そして閖上中学校の先生方であった。

子育てがひと段落し、いつか教職に戻ることがあれば、あの時を懸命に生きた子どもたちのことを、同じく「今」を懸命に生きる中学生に伝えたいと強く思う。

三年生と過した日々

只野さとみ

平成二十三年三月二十九日、名取市立那智が丘小学校で、平成二十二年度の修了式が行われました。震災後初めて学校が再開された日です。いくつかの避難所で、または親戚の家で生活していた生徒たちが、スクールバスに乗って集まって来ました。生徒の表情は心配していたよりも明るかったのが印象的でした。久しぶりにみんなで会えた喜びがあふれたのでしょうか、学校の存在意義の大きさを改めて感じた瞬間でした。

修了式とはいえ、その日が震災後の新たな学校の始まりになりました。

修了式の後、各学年に分かれ、二学年は学年主任の菅井先生からお話がありました。津波の被害に遭い亡くなった、そして、まだ見つからない生徒の名前が、ゆっくりと伝えられると、生徒の中からすすり泣く声が聞こえてきました。菅井先生も、私たちも泣くのをこらえるのがやっとでした。そのすすり泣きがしゃくりあげる泣き声に変わり、女子はお互い肩を抱き合い、何とか悲しみをこらえようとしていました。

男子は泣くこともなく膝を抱え、ただ黙って床に目を落としていました。中学三年生なんだからこんなふうにふるまわなければならないんだとでも思っていたのでしょうか、震災の日からこの日まで、たくさん辛いことを受け止めてきたことを見ている私たちにも、痛いほど伝わってきました。

情けないことに、今生徒が抱えている現実があまりにも残酷で、私自身がその状況を受け止めきれず、かける言葉が見つかりませんでした。朝の明るい表情はそこにはありませんでした。

それから一ヶ月が経ち、四月二十一日、名取市立不二が丘小学校で新しい学年が始まりました。担当するメンバーは変わらず、主任の菅井先生、一組藤村先生、二組は私、しおさい学級は村田先生、さざなみ学級は菅野先生でスタートすることができました。そこに新しく佐々木先生が副担任として加わってくださいました。

村田先生と佐々木先生は、震災でご家族を亡くされたり、まだ安否が確認できていない中でのスタートで、お二人の気丈な姿を見ていると、私が悲しみに暮れている場合ではないと覚悟を決めずにはいられませんでした。

私服でスクールバスに乗り登校してくる生徒を、毎朝門の所で迎え入れる時、学校に生徒が登校してくることは、決して当たり前のことではないんだと痛烈に感じ、その思いは今の教員生活を送る上でも、大きな軸になっています。

生徒は、新たに編成された学級で、三年生のスタートを迎えました。不二が丘小学校のＰＴＡの皆さんには、使っていなかった別棟の校舎を学校生活ができるようにきれいに準備していただきました。小学校の教室に中学生用の机と椅子、そこに大きな体の生徒が入って、多少狭さは感じるものの、全職員そして生徒も学校が再開できるうれしさでいっぱいでした。

生徒は私たちの心配をよそに、前向きに生活している様子でしたが、気が張っている状態だったのかもしれません。多くの人が亡くなった中で、「生きている」ということ、「生きていく」ということを考えざるを得ない状況だったと思います。

生徒たちは、亡くなった友だちをずっと思っていたいという気持ちでいっぱいでした。出席簿には、七人の生徒の名前はありませんでしたが、いつも話題にしていました。

最初は、話題にしていいのかどうか、迷っている様子もありましたが、次第に、一緒にいたずらした思い出だったり、亡くなった友だちとの思い出を笑いながら話していることも多くなりました。

七人の生徒のお父さん、お母さんに、幼稚園や保育所、小学校の時からの思い出を書いて届けました。日和山公園でケイドロをして遊んだこと。家の近くの自販機の前で待ち合わせをして学校に登校していたことなど、自分が記憶している友だちとの思い出を、お父さんお母さんに届けました。それは、亡くなっても自分たちの中にずっと生き続けていることを知ってもらいたいという気持ちも込められていたと思います。

一方で、友だちが亡くなったことをそう簡単には受け止められない生徒もいました。思い出の手紙を書いたのは、震災後、二ヶ月ほどたった頃のことでしたが、生徒が現実を受け止めるスピードは、当然、一人一人差がありました。

でも、そのことを生徒は理解していて、「いつまで落ち込んでいるの？」といったような、誰かを責める言葉はありませんでした。落ち込みたくなる気持ちは、みんなが持っていたのだと思います。そのことをみんな知っていました。

現に、だいぶたってから、急にいろいろなことを思い出して苦しくなった生徒は何人もいます。前向きな気持ちと、なぜ自分がこんな目にという悔しい気持ちが、交互に出てきていたのだと思います。

学校生活で印象的だったのは、四、五人のグループになって、机を合わせて給食を食べる時、震災の話をたくさんしていたということです。「自分の家がどこかわかんなくなったけど、風呂場のタイルが少し残っていたのでわかった」とか、「久しぶりに自宅の跡地に行ったら、大学生らしいグループが、家の玄関のところでピースして写真撮ってた。観光地になってたよ」と大抵は、明るく話していました。

家族が亡くなったとか、まだ見つかっていないとか、それぞれの事情をなんとなく知っているけれども、しんみりともせず、お互いを傷つけない、ぎりぎりのところでの震災ネタを話して笑っている、そんな生徒に、私は救われました。

笑っていたかと思うと、話の途中で、笑いながら泣き始めている女子もいたりして、それを男子が「なんで泣いてんの」と、泣いてる理由なんか百も承知なのに、笑いながら声をかけたりしていて、十五歳って結構大人なのか、震災のために大人にならざるを得なかったのか、知らぬ間に大人になっていることに気づくこともありました。

大人になった、ならざるを得なかったんだと思ったエピソードが、他にもあります。

学校が再開されるまでの間、職員が手分けをして避難所に生徒の様子を見に行っていました。私は家に、生徒が必要と思うようなものがあれば持って行ったり、奇跡的に開店しているお店を見つけた時には、買って役立ててもらったりしていました。

名取市文化会館担当だった日、たまたま、家の近くのスーパーで並んだところ、煎餅を二袋買うことができたので、それを持って生徒のもとへ向かいました。そこにいた三年生の男子生徒は、普段から面倒見がよく、その日も小さい子たちに囲まれ、おんぶをせがまれていました。

少し話をして、家から持って行った煎餅の袋を差し出すと、「先生はこれを買うためにすごく並んだんでしょ？家には子どももいるんでしょ？俺たちは、もらえるから大丈夫、受け取れません」とはっきりと断ってきました。

でも、本当は、お菓子なんか配られていたのか、その頃はどうだったのでしょうか。近くにいた子どもたちと一緒に食べてと言うと、申し訳なさそうに受け取り、子どもたちと一緒に目の前で食べてくれました。

大人っぽいふるまいをするのは、被災して疲弊している家族に心配をかけまいと我慢をしていたせいかもしれません。

避難所を訪問していると、山積みにされた衣類の中から自分に合った服を探す保護者や生徒の姿を見て、声をかけられなかったことがあります。

また、「夕食を配る時間です。取りに来てください」という放送があると、各々、小さな段ボール箱(おそらくお手製)を持って、並んでいる姿も見ました。

段ボールで作られた小さな箱には、冷たいおにぎりと長期保存ができるパックの豆腐が入っていました。そんな日は、私は家に帰って温かいものを食べても罪悪感にさいなまれるばかりでした。本当に、平成の日本なのかと疑わずにはいられないほど大きなことが起きていたのです。

生徒が、朝目覚めた時、体育館の天井を見て何を考えていたのだろうと今でも思うことがあります。我慢するより他はない、そんな日々だったと思います。

しかし、最近、当時彼らが書いた作文にこんな文章があったのを見つけて、意外に思ったことがあります。

「今は避難所にいるけどいろんな人と話をしたり、知り合いも多くなって、生活する分には楽しくて、逆にこれから仮設住宅になって、みんなでわいわい話したりするのがなくなると、少しさびしいかもしれないです」

学校が始まって間もなく、「卒業まで」というテーマで男子生徒が書いた作文です。子どもの方が大人よりたくましさがあった、というか、大人は大きなものをかかえて生活していたので、避難所での子どもたちの明るさが救いだったことが想像できます。

津波という、未曽有の恐ろしい経験をし、生活が一変しストレスを抱えた生徒のために、他県から多くのカウンセラーが派遣されて来ました。生徒と職員全員、一度はカウンセリングを受けることになりました。長崎県と兵庫県から、カウンセラーがいち早く派遣されたことに驚いたのを覚えています。

専門家の中には、いつでも相談できる環境を整えることと、これまでの日常をなるべく早く取り戻していくことが大切だという人がいました。

子どもたちは、避難所の生活が長くなっていたので、体を動かすことができていませんでした。中総体も近いことも重なり、学校では、部活動の再開を重要視していました。

名取市の西側の山の上にあるみどり台中学校で、市内の中学校のバスケ部が集まって合同練習会をしていただきました。他の中学校の体育館も避難所になっていて練習することができなくなっていたのです。

私が顧問を務めていたテニス部も、名取市以外の中学校からも練習のお誘いを受け練習場所を提供していただきました。

日常を取り戻すために、給食や授業も早い段階から通常に戻しました。再開してみると、部活の後のお風呂、給食の箸を洗う場所、給食着を洗う場所など、避難所で生活していると学校生活がうまく回らなくなることも多く出てきました。

勉強は学校の中で完結させ、宿題は出さない方向で授業を進めました。箸や給食着は学校で洗いました。

お風呂は、どうしていたでしょうか。記憶にありません。でも、みんな困っていたはずです。親戚や知り合いの家、家が残っている友だちの家、そして、スーパー銭湯だったかもしれません。休日には、山形県の上山市が迎えに来て温泉に招待をしてくれるという支援を受けたことも聞いていました。

そんな時、ある女子が、避難所だから今年はお誕生会ができなかったという話をしていました。私は、じゃあ今年は学校でやればいいんだと、自作のカップケーキを用意して、誕生会をみんなで祝ったりもしました。学級の区別なくみんなで祝ったので、廊下からも、ハッピーバースデーの歌声が聞こえました。

生徒全員分のお誕生会をしました。もちろん、亡くなった友だちの誕生日も祝いました。これまでの誕生日とは全く違う意味合いの誕生日をそれぞれが迎えていました。この地球に生まれてきて、今を生きていることの重さを感じる誕生日でした。

家が残った生徒はごく僅かでした。その生徒の保護者の方も、被災しているのに、一生懸命学校のためにご尽力いただきました。

しかし、家が津波の被害を免れた生徒の中には、自分に家が残っていること、制服があること、何もなくなっていないことに罪悪感を持ち始め、家が流失してしまった生徒との関係がうまくいかなくなることもありました。

何か、みんなと自分とは違う、本当に自分だけ全部あっていいのだろうか、どんな顔をして生活していけばいいのか、悩み始める生徒もいました。

私も同じでした。元気づけに避難所に行った夜は、自宅の暖かい布団の中で、段ボールに囲まれた狭いスペースに寝ている生徒を思いました。「自分は偽善者だな。生徒には『来てくれてありがとう』と言ってもらえるけど、本当は何もできていない」と自分の無力が嫌になりました。

亡くなった生徒の親に会うと、どこかで自分の子どもが元気なことが申し訳なく思ったりもしました。

人間は、一度にこんなにもたくさんの感情を持つことができるのだろうかと思うほど、いつも心の整理ができていないままに生活していました。

それでも、Ｎコンへの挑戦や修学旅行と、それまでの三年生と変わらない「日常」を無我夢中で成し遂げ、たくさんの人たちに支えられながら、この越えられそうもなかった困難を何とか乗り切ることができました。

その一つ一つの場面の中には、亡くなった生徒、引っ越ししてしまった生徒が必ず一緒にいたことは確かです。だから乗り越えられたのだと思います。

何処に、何に向かっていたのかよくわかりませんが、とにかくみんな同じ方向に向かっていた一年間でした。

震災は、私が閖上中学校に赴任して一年目に起こりました。二〇一〇年はとても暑い夏でした。仙台の自宅から閖上中に出勤し、駐車場で車を降りると海風を受けた閖上は涼しさを感じる場所でした。

二年生だった生徒たちは、休み時間になると、犬走りの所で横になったり、おしゃべりをしたり、のんびり過ごしていました。

田んぼを通って教室に入ってくる風はとても心地よく、心が解放される場所でした。田んぼには、山育ちの私が見たこともない鳥がのんびりと餌を求めていて、テニスコートで部活をしていると、飛行機が轟音をたてて飛んでいきました。生徒と飛行機のボディを見て、行先を一緒に想像したこともあります。

晴れた日の夕暮れに、職員室から見る蔵王の山々に沈む夕日は圧巻でした。でも、全て、一年だけの経験です。

震災後、「震災から学ぶ」という言葉が好きになれませんでした。「私は無知のままでいいから、学べなくていいから、あんなことなければよかったのに」としか思うことができませんでした。

でも、私の傍には、「自分が生きている」「生かされた」意味を探しながら、あるいは、自分が「生きている」ことにどうにか意味づけをしている生徒の姿がありました。

震災の時に、自分の命を懸けて活動してくれた職業への憧れを強く持った生徒が多くいました。教員志望の生徒も何人かいて、自分の励みにもなりました。

受験勉強も、狭い仮設住宅では、なかなか難しいこともあり、朝早くに登校する生徒、放課後に残って勉強をしていく生徒も多くいました。私立高校も公立高校もそして多くの団体が、被災した子どもたちの進路を応援してくれました。

明確に夢を持っている生徒も、これまでに担当した生徒より多かったように感じます。子どもたちの夢は、周りの大人たちの励みでもありました。

卒業式は、自分の子どもの旅立ちのように、寂しくてたまりませんでした。私は完全に生徒に依存していました。教師を続けられるかとさえ考えたこともありました。

成人式を迎え、二十歳になった彼らに会ったとき、苦しみながらも、それぞれが生きていこうと必死に頑張っている姿をみることができ安心しました。そして、私も彼らに負けないように、自分が「生きている」ことに意味を持たせたいと思うようになりました。

でも、時には、十年もたっているのに、あの時と気持ちがあまり変っていない自分に落ち込むこともあります。

でも、私はこうやって、のらりくらりと「生かされた命」と向き合ったり、向きあえなかったりしたまま生きていくのだと思います。五十五名の生徒とともに。

あの日の保健室とその後、心のケア

養護教諭　金子淳子

一　震災前の閖上、防災意識

閖上地区はのどかな田園風景、そして砂浜が続く地形で三陸のリアス海岸と違い、かつて津波が襲来した歴史がほとんどない地域であった。昭和八年三月三日の地震で発生した昭和三陸津波により、閖上にも津波が襲来したという記録が残っている。しかし、この時の死亡者はいなかった。また、名取川沿いに石碑が建てられたが、知っているものはあまりいなかった。閖上の住民、保護者、児童生徒も「閖上には津波はこない」というのが定説であった。

宮城県沖地震がそろそろ来る可能性が高いことが判明し、沿岸の学校であったことから、教育計画では震災の数年前から津波が襲来する可能性が高い場合は、校舎三階以上に避難者を避難させることが明記された。

東日本大震災一年前にチリ地震があり、閖上地区にも津波警報が発令された。校舎に避難してくる住民が数十人いて校舎三階に避難所を開設。教職員が対応し警報が解除されるまでは、避難所を運営した。その時の津波は数センチから十センチくらいだった。また、震災の二日前にも震度四の地震があって津波警報が発令されたが、大きな津波は来なかった。「大きな津波は来ない」という思い込みが住民だけではなく教職員にもあった。

事前にこのような事案があり、防災意識が低かったという反省がある。しかし、学校では、津波が襲来する可能性が高い場合の事前の訓練をしていたことは大きかった。

二　地震発生から津波襲来、そして避難者救助

【地震発生前の校内の状況】

中学三年生の卒業式が午前中に行われ、午後一時過ぎに卒業生を職員で見送ったばかりであった。皆の笑顔は輝いており、これからの高校生活への希望に満ち溢れた顔で晴れ晴れとしていた。それが永遠の別れになってしまった子どもたちがいる。
一、二年生も卒業式が終わった後にすぐに下校させていた。このため、校舎には教職員のみがいる状態であった。卒業生を見送った後に、教職員は少し遅めの昼食を職員室でとった。その後、体育館の椅子や装飾、花などを皆で片付けをしていた。

【地震発生時の状況〜津波襲来までの様子】

卒業式の後片付けが終盤にさしかかった時に、地震が発生した。私はその時、大きな花瓶を持ち、体育館から一階校舎に入ったところの廊下を歩いている時であった。最初はすぐに揺れがおさまると思っていたが、徐々に立っていられないほどのものすごい揺れに変わった。私はなすすべがなく、一階の廊下に身をかがめてうずくまった。そしてその揺れはいつまでたってもおさまらなかった。この地震は尋常ではないということをすぐに感じた。教務が教職員の状況を確認し、皆が無事であることが分かった。

その後、五分もしないうちに閖上小学校の低学年の児童五〜六人が泣きながら校舎に避難してきた。小学校低学年は、この時間がちょうど下校時間でもあったためである。その時、私は昇降口にいた。いろいろな物が廊下に散乱し、足の踏み場もない状態であった。

「危ないから靴のまま三階に避難して」という声掛けを児童にした。子どもたちを校舎三階に誘導し、泣いている子どもがいたため教職員一名が児童により添った。そしてその他の教職員は椅子や机、廊下の壊れた物、危険な物を片付けながら、三階の各教室を避難者のために開放した。

その後、続々と住民たちが避難してきた。最終的には八百名ほど避難した記憶がある。教職員は、校庭での車の誘導や校舎内での避難者対応に追われた。徒歩で避難する人だけではなく、車で避難する人も大変多かった。地震のため、閖上大橋付近の五叉路でトラックが横転し火災が発生。逃げる道が塞がれていた。このため漁港から閖上中学校までの道も大渋滞になっていた。

震災翌日の朝の校庭

教職員は避難者対応に追われており、防災無線も鳴らず、ほとんどの人が携帯などで確認する余裕がなかったため、大津波警報が発令されたことは知らなかった。避難してきた住民から「津波がくるかもしれない」という噂を小耳にしたが、まったく実感がわかなかった。

午後三時四十八分頃、閖上に津波が襲来した。「川から津波が来ている」という住民の叫び声を聞き、（えっ、川から津波？）と思った。川が逆流しているのを目にした。そして避難者の「きゃー」「わー」という声を聞き、ふと三階のベランダ側から校庭に目をむけると、遠くの方に煙が舞い上り数キロの黒い煙の帯になっていた。

それを見た時に（とてつもない火災が起きている）と思った。しかし次の瞬間、これが津波なんだということが分かり衝撃を受けた。いろいろなものを壊しながら襲ってくるため、煙が舞い上がっているのが分かった。そして、津波がこちらに向ってものすごいスピードで来ているのが分かった。その時初めて（死ぬかもしれない）という恐怖を感じた。車を校庭に停めた数人の住民が津波に気づき、一斉に走り出した。「逃げて！逃げてー！」と大声で叫んだ。その人たちに津波が覆いかぶさるように襲ってきたのを目にして、涙と震えが止まらなかった。

【津波襲来～その後】

大津波が襲来し、私は呆然としていた。体がガタガタと震えていた。しばらくすると、事務の岩佐先生が私に「先生。しっかりして！」と言った。はっと我にかえった。（避難者の対応をしなければ）と思い、その後は無我夢中で対応した。

津波に追われ命からがら逃げてきた人の中には、精神的に混乱している人がいた。住民が寄り添い、背中をさすっていた。間一髪で避難した生徒は、想像を絶する状況に遭遇していた。顔色は真っ青で肩で息をし、その状況について私に話をした。そして、絞り込むような声をあげ泣いた。肩をさすることしか私にはできなかった。ある生徒は、心配そうにずっと外を眺めていた。声を掛けると「お父さん、お母さんと連絡が取れない」と言った。「心配だね。連絡がつくといいね」としか言うことができなかった。後で知ったことだが、その子のご両親は、津波でお亡くなりになっていた。

被災した教室

津波に巻き込まれた住民や生徒が瓦礫をかき分け夜通し避難してきた。衣服が濡れており、寒さでガタガタ震えていた。職員で協力し、タオルをお湯で濡らして体を拭き、職員の洋服や部活動のユニフォーム、給食着を渡した。それがなくなると、教室のカーテンを引き裂いたり、新聞紙で服を作ったりした。靴がずぶ濡れになった人には足にカーテンを巻きつけた。しかし、それでも全く足りず、「すみません。ごめんなさい」と頭を下げるしかなかった。

貯水槽に残っていた水をやかんに貯め、薬を飲む人や熱がある人、体調がすぐれない人に優先的に飲ませた。キャンプ用のガスバーナーを持っている職員がおり、ベランダでお湯を沸かし、ずぶ濡れで避難してきた人にココアを飲ませた。夜に赤ちゃんとその母親が避難してきた。粉ミルクは母親が持っていたが、哺乳瓶が地震で壊れてしまい、母親は困っていた。二～三ヶ月の乳児だったと記憶しているが、赤ちゃんはお腹を空かせて泣いており、哺乳瓶が学校にも無いため、マグカップの中で粉ミルクをお湯で溶き、少しずつスプーンで飲ませるしかなかった。私が乳児の母にスプーンでの飲ませ方を指導しながら、少しずつ赤ちゃんに飲ませてあげた。

また、クラッカーが十袋くらい三階倉庫にあったので、職員で手分けして夜になってから教室ごとに一袋ずつ渡した。子どものオムツがなかったので、保健室にある大人用の生理用品、そしてガーゼを十枚重ね渡し「これしかありません」と頭を下げることしかできなかった。老人ホームにいる寝たきりの人は、施設の職員がワゴン車で運んできて、ずぶ濡れになりながらも間一髪のところで避難することができた。

命にかかわるような持病を持っている人が数人いた。ＡＥＤを使用した人が二名、その他、足の怪我の処置をした人、低血糖発作を起こした人への応急処置をした。

校舎に備蓄しているものが少なすぎた。毛布が全く足りない、子どものオムツもない、水や食料もわずかしかない状態だった。このような状態で何日過ごせるのだろうか。命に関わるような対応を迫られたとき、自分は何ができるのだろうか、ものすごい不安感に襲われた。

夜が深くなり、ラジオは仙台市の荒浜で遺体が二百～三百体確認されているということを何度も放送していた。閖上の状態について伝えているラジオは全くなかった。職員の中から「私たちもどうにかしてSOSを出さなければいけない」という声があがった。助けは来てくれるのだろうか?本当に不安であった。津波火災がひどく、学校の周りは火につつまれていた。いつ学校に引火してもおかしくない状況であったが、瓦礫に塞がれどこにも逃げ場がない状態だった。

その日は、夜になると雪がちらついた。津波のため校舎が壊れ、一階からビュービューと冷たい風が吹きつけていた。教室の戸を閉め、皆で身を寄せ合った。本当に凍えるような夜であった。一睡もできる状況ではなかった。教室ごとに職員が頻繁に声をかけ、生徒の避難状態、避難者の健康状態を確認した。

長い夜が明けた。職員は各教室にノートを配り、避難者に氏名と住所を記入していただいた。ようやく歩ける高さまで水が引いたが、瓦礫が道を塞いでいたため、到底歩ける状態ではなかった。夜を徹して瓦礫を撤去する作業をした自衛隊員三名が、早朝に閖上中学校に救出に来てくれた。「あぁ良かった。これで助かる」と本当に安堵したのを覚えている。

「現在、瓦礫を撤去しています。人が歩ける状態になるまで待ってください」と自衛隊員に言われ、夕方になって避難できる状態になった。閖上中学校は、瓦礫がひどくて今は緊急車両が入れないと判断され、「歩ける方は、歩いて閖上小学校まで避難してください。そこから緊急車両が出ます。その後、内陸の学校へ避難します」と自衛隊員と名取市の職員からの指示を受けた。自衛隊、名取市の担当者、学校の職員がどのような方法、順番で移動させるのか、重症者や寝たきりの老人をどのように緊急車両まで運搬するのか協議した。

教職員は各教室へ行き、地域住民に「歩ける方は、閖上小学校まで歩いて避難し、その後、緊急車両で内陸の学校に避難します」ということを伝えた。そして、避難の順番として重症者や怪我をしている人を優先して欲しいこと、学校に担架が一つしかないので、教室の戸や毛布を使っての重症者の運搬を、住民の方に手伝って欲しいことを伝えた。そして、重傷者は閖上小学校まで自力で運び、待機していた緊急車両で県内の医療機関まで搬送された。寝たきりの老人は、その後にバスが閖上中学校まで入ることができ、一番最後に閖上中学校を出て同じ系列の老人ホームまで搬送された。

一般の住民たちや生徒たちは、閖上小学校の各教室で避難の順番を待った。親と子どもが一緒にいる中で、生徒のみぽつんとしている場合は、同級生やその保護者が生徒を呼び寄せ、一緒に過ごした。閖上小学校では、地域の会社からの支援としてパンやジュースが一人一人に配られ、食事を口にすることができた。

内陸の館腰小学校や第一中学校、増田小学校、増田中学校、下増田小学校、名取市文化会館、名取市保健センター等が避難場所になり、避難者が分けられた。皆、自分がどこに行くのか分からなかった。また、「徒歩で内陸まで移動できる人は、閖上小学校で緊急車両を待たなくても移動して大丈夫です」と言われた。避難者の中には、増田方面まで徒歩で移動する人も多かった。外が寒く、徒歩で移動している途中に低体温になって倒れ、そのまま誰にも見つからずにお亡くなりになった方もいた。

閖上中学校の職員は、それぞれの方面に別れ、内陸へ避難した。私は、住民たちの健康状態が気になったので、先に閖上小学校まで向かい、閖上小学校で消防団が用意した五人乗りの緊急車両に最後の方で乗った。すでに辺りは暗くなっていた。そして第一中学校で下ろされた。そこで一泊し、翌日歩いて仙台市の自宅に戻った。

他の職員は、数名が閖上中学校に残り、最後の老人ホームの避難者が出るまで待機した。最後に職員室の鍵を閉め、数人で歩いて内陸の学校まで避難した。市内の各避難所を回り、生徒の安否確認を行った後にそれぞれ帰宅した。

三　震災発生後の養護教諭としての対応

【二次避難所での仕事と学校再開まで】

自宅に一度帰宅し、二歳の子どもと夫、家族の無事を確認し安堵した。子どもを自宅近くの祖父母と夫に頼み、二次避難所である館腰小学校の保健室で寝泊りをし、住民たちの救護にあたった。館腰小学校は一番避難者が多く、体育館と各教室に避難しており、館腰小学校の養護教諭への応援が必要であったからだ。そこで、避難している生徒や保護者と話をし、どんなことで困っているかを聞き、今できる支援をした。館腰小学校にはＮＰＯ法人ロシナンテスという団体がすぐに遠方から支援にやってきて、医師が無償で住民の診察や薬の処方をしてくださった。本当に助かった。

また、衛生面での管理や感染症の予防には気を付けた。館腰小学校では、インフルエンザの患者が数名出た。その患者は別の教室へ隔離した。

震災後数日してから、閖上小学校と中学校の臨時職員室を急遽名取市役所六階に設置したので集まってほしい、と管理職から連絡を受けた。閖上小学校と中学校は、地域も含め壊滅状態であったためである。臨時職員室では、生徒や生徒の保護者、家族の安否確認のため、教職員が打ち合わせを行い、各避難所を回った。今、生徒がどこにいるのか、誰といるのか、家族は大丈夫なのか、行方不明の生徒は誰なのか、発見されたが亡くなってしまった生徒はいるのか等、毎日避難所、遺体安置所を回り、いろいろな人からの情報を集約した。そして、子どもや保護者と話をしながらどんなことで困っているのか、どんな気持ちでいるのかを確認した。

その間、行方不明の生徒が見つかったという連絡を何度も受けた。生きており病院に入院しているという連絡を受けた時は、職員が手を取り合い、皆喜んだ。しかし、だめだったという連絡を受けた時は、その子との記憶を何度も思い出し、涙が止まらなかった。

私は、毎日市役所の六階と館腰小学校へ行き、子どもたちの状態、閖上の状態を確認していた。避難所での救護は三月三十一日まで行った。

三月下旬になり、那智が丘小学校のホールをお貸ししていただき、在校生の修了式が行われた。生徒たちは久しぶりの再会に喜びあったが、行方不明の生徒や亡くなった生徒の話を教員から聞かされると、たくさんの生徒が涙をこらえていた。

三月末、名取市と住民、児童生徒の保護者との話し合いの場がもたれた。教育委員会から不二が丘小学校に空き教室が多くあるため、二校が間借りして生活することができるという話があり、避難所や市内各地にバスを何台も通して子どもたちを通わせることに決まった。

四月一日からは、学校再開に向けた準備をした。被災した校舎から、使えるものは消毒液で消毒してから不二が丘小学校に運んだ。使用できない物は、新たに購入したり、様々な団体から支援をしていただいた。そして不二が丘小学校の東校舎に中学校専用の保健室を新たに設置していただいた。

今、当時のことを振りかえると、四月二十一日の学校再開まで時間がない中で、よく間に合わせることができたと思う。本当に皆が無我夢中であった。

四　学校の再開と心のケア

【四月二十一日　学校が再開してから】

生徒たちは、壮絶な体験をしており、命の危機を体験した子どもが多くいた。津波により、目の前で家族や友人と別れる体験をした生徒も多くいた。十四名の生徒がこの震災で犠牲になっており、数時間前まで元気に笑っていた友だちを数多く亡くしたことによる生徒のショック、教職員のショックははかりしれなかった。

当時、私は災害時の心のケアについて、本当に何をどうしたらよいのか分からず、毎日が緊張と不安で一杯になっていた。

名取市教育委員会からの紹介で、五月になるとすぐに長崎県から緊急派遣カウンセラーが毎日来校するようになった。カウンセラーの方々が週替わりで七月の終業式まで派遣された。その方々は災害時の心のケアについてのスペシャリストであった。また、ＳＣ（スクールカウンセラー）の方々も震災後一年間は二名配置され、たくさん相談にのっていただいた。

私はカウンセラーの方々から、災害時の心のケアについてたくさんのことを教えていただき、支えていただいた。私は、当時心のケアについて特別に何かしなければいけないと思っていたが、カウンセラーの方々から「とにかく良く寝て、よく食べ、安心・安全に学校生活が送れるようにしていくことが今は一番大切なんだよ」と教えていただいた。そして、教職員が災害時の心のケアについて正しい知識を持つことができるように、カウンセラーの方々が教職員に向けての講話を何度かしてくださった。

教職員が生徒との関わりの中で注意したこと

① 子どもたちとコミュニケーションを多くとるように心がける。

② 生徒に一斉に震災のことを語らせたり、無理に聞き出そうとはしない。

③ 生徒から震災のことについて話してくる場合は聞くが、地震や津波の話題は教職員からあえてしない。

④「話したいことがある場合は、先生方はいつでも聞くよ」というメッセージを常に生徒におくる。

※①～④について、教職員間で共通理解を得た。

また、災害後の時期に応じた望ましいアンケート内容があるということを初めて知った。特に初期の段階では、災害を連想させるアンケート内容を控えること、アンケート調査を行うことを生徒や保護者にも告知し、無理に行わせないこと、調査を行ったすぐ後は、子どもたちの表情や健康状態をよく確認しながら、リラクゼーションを行い、終了させる等の配慮に気をつけた。そして、アンケート調査を行い、調査の結果から生徒一人一人へのフォローをどのようにして行うか担任と共に考え、必要時はＳＣによるカウンセリングも行った。生徒へのカウンセリング以外の支援として、ＳＣと連携しリラクゼーションの授業、ストレスマネジメントの授業を全クラスに行った。

子どもたちは一見元気そうにふるまっていたが、一人一人を注意深くみると、様々な心の問題を抱えていた。よく眠れない、怖い夢をよく見るという生徒、不登校傾向になった生徒、保健室を頻繁に来室し体調が悪いと訴えた生徒は、「地震の後に友だちから電話がかかってきた。あの時にもっと優しい言葉をかけてあげればよかった。それが最後の別れになってしまった」と苦しい胸の内を話すと涙を流した。「あの時、こうすれば良かった、私のせいだ」という生徒や保護者の話を何度も聞いた。聞くことを重ねるうちに、どんどん自分の心が苦しくなっていくのを感じた。

【教職員の心のケア】

今振りかえるとその頃の私は、常に緊張状態であったと思う。自分がしっかりしなければいけない、子どもたちを支えていかなければいけないという気持ちで一杯になっていた。さらに様々な団体が支援活動や心のケア等で子どもたちと関わりを持とうとしていた。本当にありがたく感謝している。

しかし、一方でその対応に追われ、職員も子どもたちも精神的に疲弊していた。

私は毎日、通勤途中や帰宅途中の車の中で思いきり泣いた。そこは、誰にも知られずに自分一人で泣ける場所だった。学校では自分はどんなことがあっても笑顔でいようと思っていた。学校は被災したが自分の家や家族は大丈夫だった。閖上の子どもたちや保護者は、もっと大変な思いをして生活をしている。だから、自分の気持ちを絶対に出すべきではないと私は思っていた。

また、家に帰ると小さい子どもがおり、子どもに泣く姿を絶対に見せてはいけないと思っていた。私はよく眠れずに夜中に吐き気がして何度も起きることが続いた。また、津波に襲われる夢も何度か見た。些細なことにも過敏になっていた。

そんな時にSCの先生から「先生、大丈夫?ちょっと過敏になっているよ」と言われてはっとした。私はその時、SCの先生に、毎日車の中で泣いていることを何気なく話した。被災している人は、それが当たり前のことだと思っていたからだ。

しかし、話しているうちに当たり前ではなかったことに気付き、自分自身にも目を向けなければいけないことを感じた。

緊急派遣カウンセラーの方々やSCの方々からも、教職員の心のケアについては、特に大切であることを教わった。その後、様々な研修の場で、支援者の心のケアについても学習した。教職員も被災者であり、ケアが大切であることを、自分の体験からも身にしみて感じた。

今振りかえると、私の場合は、被災したあの時の記憶や人からいろいろなことを聞き、苦しくて飽和状態になった気持ちを車の中で毎日吐き出すことで、少しずつだが落ち着いていったと思う。また、カウンセラーの先生方に支えていただいたことが何よりも大きかった。

【心のケアを振り返って】

私は、閖上中学校に震災前は八年間、震災後は五年間勤務した。

震災後数年経過した後、宮城県子供総合センターの医師とアンケート内容について検討を重ね、名取市の全十六校の小中学校で、こころとからだの状況についての調査を三年間行い、東北大学で分析、その後のフォローも含めて、各学校に大変支援をしていただいた。

様々な関係者から学び、災害時の心のケアを数年間行って分かったことは、一人一人の心の状態や回復度合いは全く違うということだ。人によっては、早期に自分の気持ちを出すことで前向きになれる人もいれば、ある人はあの時の記憶に蓋をして出てこないようにすることで、日常生活をなんとか送れている人もいる。蓋を無理にこじ開けてしまうと、自分を保っていられない人もいる。数十年たってやっとあの時のことを話せるようになった、あの場所に行けるようになったという人もいる。だから、心のケアには終わりがないと思う。

子どもの場合、親の疲弊した状態を見て、自分が辛くても良い子でいなければならないと頑張ってしまう子もいる。良い子ほどよく観察しなければいけない。また、心の健康状態は被災の度合いに比例しないということも学んだ。その人の心の状態は、その人が持っている「レジリエンス」に影響されるということも分かった。

私は震災後に様々なことを学習した。震災後の心のケアとして大事だと思ったことは、次のことである。

①　なるべく早期に子どもたちの日常生活を取り戻させること

②　睡眠や食事、休養をしっかりとり、規則正しい生活を送らせること

③　学校が安心でき安全な場所になるように環境を整えること

④　よく体を動かし、気持ちを発散させること

⑤　震災に関連する行事や節目を大切にすること

他にもあるが、特に①～⑤のこれらが大切であると感じた。

震災後、閖上地区は壊滅状態になり、いつ津波がやってくるか分からなかった。このため、ほとんどの住民は、避難所から内陸の仮設住宅や借り上げ住宅に転居した。瓦礫が片付けられ、家の基礎しか残らず、以前の町並みが全く分からない状態になった。

数年経過すると愛島地区や下増田地区に新築の家を建てる世帯が多くなった。また、今後の閖上地区の復興計画について、様々な意見を持つ団体が数多くつくられ、住民の意見の統一に多くの時間がかかった。さらに市との意見調整も難航し、宮城県の中では一番最後にようやく復興計画ができあがったと記憶している。このため、閖上小中学校再建にも七年の時間が経過した。

平成三十年四月、閖上小中学校開校式に出席した。（やっとここまで来た。皆頑張った。）という万感の思いがこみ上げてきた。

五　閖上の復興

震災後十年が経過しようとしている閖上は今、たくさんの新居、スーパー、商店が建つようになった。以前の閖上の町並みがすっかり消えてしまい寂しい気持ちもあるが、当時以上の賑わいを今取り戻しつつあり、ようやく人が戻って来たことを嬉しく感じている。

今後、震災を経験した私たちにできることは、亡くなった十四名の閖中生の思いを引継ぎ、あの時のことを伝え続けていくことだと感じている。

震災から一か月後の学年だより

古積　緑

平成23年度２学年だより

ステップ

名取市立閖上中学校
平成23年４月21日（木）
創 刊 号
文責　古積

進級おめでとうございます

今年度もよろしくお願いします

大震災から６週間がたちましたが、心の中ではあの日からまだ時が止まったままのようです。新聞やテレビでは「頑張れ宮城、頑張れ東北」の連呼が続いていますが、これ以上何を頑張ればいいのかと感じるのは私だけでしょうか。

ですが確実に時は流れ、子供たちは成長していきます。互いに支え合い、励まし合って生活していく中で安定した日常生活を取り戻し、一歩ずつ進んでいけるよう職員一同、愛情をもって支援していきたいと考えていますので、今年度もご協力をよろしくお願いします。

○学年・教科担当について○　今年度の２学年と教科担当教員をご紹介します。

＜２学年担当＞

★２の１・保健体育担当・女子バレー部：大橋　恵美（おおはし　えみ）

今年度も引き続きこの学年を担当することができました。「生徒と共に活動する」をモットーに、授業や部活動、行事で一生懸命頑張っていきます。よろしくお願いします。

★２の２・英語担当・卓球部：伏見麻里香（ふしみ　まりか）

多賀城市立東豊中学校から来た伏見麻里香です。教科は英語です。名取市のとあるところでさびしく一人で暮らしています。学校ではみんなと早く仲良くなって、家族のように時には楽しく、時には厳しくたくさんのことに挑戦していきたいです。おおきな目標に向かって、一緒にがんばろう!!

★しおさい・美術担当・総合文化部：菅野　潤一（かんの　じゅんいち）

今年は何回自転車で学校に来れるかな？加齢に負けずに頑張ってみるよ。また美術の時間に会おうな。あっ、しおさいもよろしくね。

★副担任・技術担当・野球部：勝又　辰広（かつまた　たつひろ）

技術を担当する勝又です。閖上中のみなさんと、共に考え、新しい発見をし、学習していきたいと思います。名取・閖上については分からないことが多いので、みなさんいろいろ教えて下さい。これからよろしくお願いします。

震災から一年後の学年だより

古積　緑

平成23年度2学年だより

ステップ

名取市立閖上中学校
平成24年3月15日(木)
NO. 25
文責　古積

感動の卒業式終了!!

思うように練習ができずに臨んだ３年生を送る会では，１・２年生の合同合唱と群読，そしてエールで，３年生の心を動かす発表を行うことができました。そして，全体練習２回と，１・２年の合同で合唱（合奏）練習を１回行って臨んだ卒業式が１０日（土）に行われました。

大変な状況の中で過ごしてきたこの１年間，閖中の最高学年としてしっかりと学校を支えてきた３年生が巣立っていきました。式の中で２年生は儀式の雰囲気を作り，合唱と「蛍の光」のリコーダー演奏をしっかりと演奏しました。「旅立ちの日に」の合唱では，涙・涙…の３年生に代わって２年生の声がよく響き渡り，思わず来年のことが頭をよぎって涙がこぼれてしまいました。（実は練習の際にも…!?）

吹奏楽部の演奏も，式をしっかり支えました。部員６人中５人が１年生という中で，部長の曽我有理さんが中心となり，助っ人の渡辺元気くんを加えて入退場の演奏を行いました。

これからは，この２年生が閖中の顔となります。４月に入学してくる新入生を加えて，閖中全体がさらに一歩前進して行けるよう，一人ひとりの力を発揮することを願っています。

平成24年度公立高入試　前期選抜について

２月３日の学年だよりと一緒にお渡ししました資料はお読みいただけたでしょうか。今回は，前期選抜における出願書類の志願理由書の様式例をお知らせします。各高校がこの様式例を基に作成した志願理由書については，各高校のホームページに掲載され，また，オープンスクールなどの際に配付されます。また，各高校のオープンキャンパス（オープンスクール）の日程一覧については，５月末までに高校教育課のホームページに掲載され，中学校にも送付されることになっています。

海外派遣事業に参加しています

現在私は名取市中学生海外派遣事業の特別団員として，市内の中学生 22 名のオーストラリア研修の引率中です。閖中からは　　　　くんが参加しています。11 日（日）に成田空港を出発し，19 日（月）に帰国予定となっています。22 日（木）の学年集会のときには報告会ができるようにしたいと考えています。

平成24年度３学年だより

ジャンプ

名取市立閖上中学校
平成24年９月14日(金)
NO. 20
文責　古積

最後の閖中祭が終了しました

とうとう最後の閖中祭が終わってしまいました。開会行事の「閖中ソーラン」に始まり，さんの国語弁論，　　　さんと　　　くんの英語暗唱・弁論，３学年発表の劇「美女と野獣」，　　　さん最後のステージとなる吹奏楽部の演奏，生徒会企画の発表と劇，そしてダンスやミスコンテストで大いに盛り上がった有志参加と，いたるところで３年生が笑顔いっぱいで活躍する姿が見られました。

今年の閖中祭のテーマ「輝け青春!!～閖中祭だよ！全員集合～」の“全員”に込められている意味を十分に表現したソーランは，見ていて涙が止まりませんでした。「美女と野獣」では役者はもちろんのこと，大道具・小道具，照明や音響，プロジェクター操作までみんなで力を出し合い，大成功を収めました。

修学旅行の企業訪問をまとめたポスターや江戸文字の作品の展示も大好評でした。中でも，江戸文字体験の際にお世話になったアトリエ創藝館の大石さんとそのお弟子さんたちから送って頂いた大小11個もの提灯には感謝・感激でした。中でも，大石さんが１日がかりで作って下さった赤い提灯は，ソーランの最後のポーズを最高に盛り立ててくれました。

1・2年生は２週間後の新人大会に向けて練習に励んでいます。3年生も気持ちを切り替えて，今やるべきことに最大限の努力をしていくよう指導していきたいと思います。

震災から二年後の学年だより

古積　緑

平成24年度３学年だより

ジャンプ

名取市立閖上中学校
平成25年３月９日（土）
NO. 32
文責　古積

ご卒業おめでとうございます

53人の子供たちが入学してから３年間，本当にいろいろなことがありました。どんなことばをつかってよいか分からないくらいたくさんのことがありましたが，こうして感動の卒業式を迎えられたのは皆さんのおかげです。そして保護者の皆さま，本当にたくさんのご協力とご理解を賜りありがとうございました。

後期選抜が終了しました

７日（木）は温かく春のような陽気になり，公立高校の後期選抜入試も無事に終了しました。帰宅の報告の電話の声はみな明るく（中には疲れ切った声の人もいましたが），「やっと終わった！」「力を出し切った！」という思いが伝わってきました。あとは落ち着いて結果を待つばかりですね。

入学準備物や合格通知の受け取り方法等については，お子さんに話をしていますのでご確認ください。

後期選抜を受験しない人たちは，教室の掲示物やラベルをはがしたり，床みがき，ワックスがけを心をこめて行いました。おかげで床はピカピカになりました。カレーパーティの米とぎなどの準備も頑張りました。

皆勤賞の発表です！

３学期は今までで最高人数（おそらく）の３０人が皆勤賞となりました。１年間の皆勤賞と合わせてお知らせします。

三年間踊ったソーラン、そして校舎模型作製

古積　緑

不二が丘小で一年四ヶ月ほどを過ごし、十三塚公園内にできたプレハブ校舎に移動することになりました。この学年の生徒たちは、一年生を閖上中で、二年生を不二が丘小で、そして三年生をプレハブ仮設校舎で過ごしました。

一年生のときの閖中祭では、学年で何か出し物をということで、みんなで閖中ソーランを発表しました。閖中祭は九月上旬に行われるため、まず学年実行委員が中心となり、夏休みにビデオを見ながら振付けを必死に覚えました。その年は例年に比べ非常に暑さが厳しく（駅伝練習では熱中症になる生徒もいました）、タオルで汗を拭きながら一階の少人数教室や外で練習したのを覚えています。

天国へ行ってしまった仲間と一緒に踊ったソーランを、この子どもたちは二年生でも、三年生でも閖中祭で踊ってくれました。三年生では開会行事の中でソーランを、学年発表の中では、修学旅行で鑑賞した劇団四季の「美女と野獣」を発表しました。ラストでは、照明など裏方作業をしていた生徒も全員ステージに立ってカーテンコールを行う演出を自分たちで考えるなど、一年生の頃とは比べ物にならない成長をみせた生徒たちの様子に、学級担任の先生方は涙を流しっぱなしでした。

三年生で行われる行事は、全てが「最後の○○」となります。市中総体、校内合唱コンクールなどでも、様々なドラマがありました。行事が一段落し、そろそろ受験期にさしかかる頃、「閖上中の校舎で過ごした最後の学

年として、校舎の模型が作れたらいいね」という、ふとした雑談から、総合的な学習の時間を利用して、閖上中の校舎の模型を作ろうということになりました。

当時、美術を担当していた一條先生が金庫から古い設計図を見つけ出し、三学年みんなで、縮尺を計算しながら校舎の模型を作り始めました。体育館担当、校舎担当、テニスコート担当、プール担当・・・など、グループに分かれて楽しそうに制作する様子は今でも目に焼き付いています（縮尺の計算には、電卓を使いながら四苦八苦していましたが・・・！）。

テニスコートや校庭の桜の木、フェンス、駐車場の先生方の車などといった細かいところまで、生徒たちはよく覚えていました。体育館にあったバスケットゴールも作り、壁に書かれていた「輝け青春」の文字まで再現したのに・・・体育館の屋根を糊付けしてしまった！というオチもありました。

数年後、カッターで丁寧に切り離して中を見られるようにすると、しっかり体育館内の様子が再現されていました。

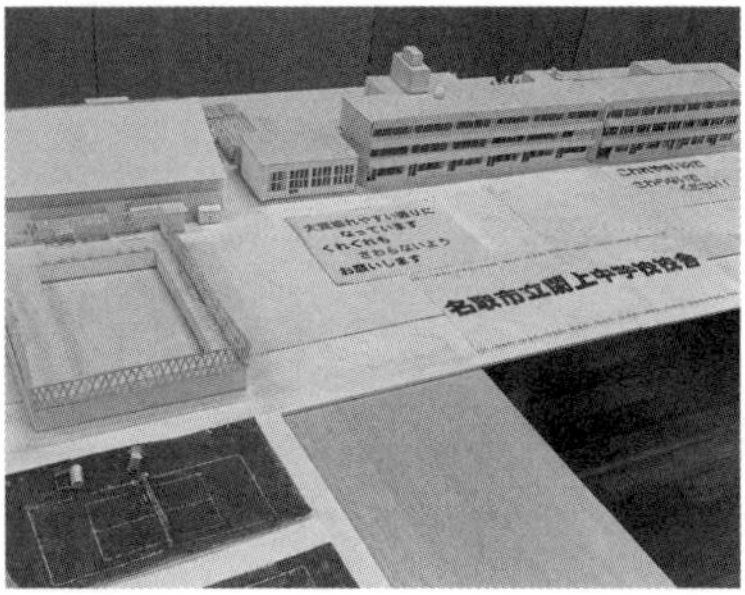

小中校舎模型

図書館だより（震災から一か月後）

千田由紀

図書館だより

No.1

名取市立閖上中学校図書館
平成 23 年 4 月 22 日発行

新入生の皆《みな》さん、入学してきてくれて、どうもありがとう。
新２年生・３年生のみなさん、始業式で元気な顔を見ることができ、大変嬉《うれ》しかったです。

不二が丘小学校東棟《とう》の、３階職員室前の廊下《ろうか》の一角をお借りし、図書館を再開します。昨年度最後の「生徒会だより」のアンケートで、学校で一番好きな場所に選ばれた図書館ですが、ここ不二小でも、少しでも皆さんのくつろげる場所となるよう整備していきたいと思います。「こうしたら、もっと雰囲気《ふんいき》がよくなるのではないか？」というアイディアがあったら、教えてくださいね。

これからも一緒《いっしょ》にがんばっていきましょう！

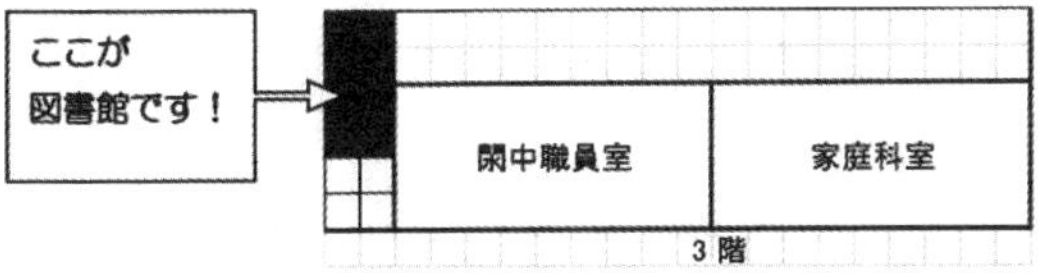

図書館のきまり

- **貸出時間**
  ８時３５分～１６時４５分までの、係がいるとき。オープンスペースなので、読むのは自由です。

- **貸出・返却**
  ４月２５日（月）から貸出を始めます。借り方、返し方は昨年度までと同じです。一人１冊まで２週間借りられます。

  ※１年生は、学校案内の時、貸出方法についての説明がありますので、その後から借りられます。

- **予約・リクエスト**
  当分の間受付できません。閖上中学校にあった本なら、持ってくることができるので、読みたい本が見つからないときは相談してください。

図書館だより

千田由紀

図書館だより　名取市立閖上中学校図書館

No.2　平成 23 年 5 月 2 日発行

新緑の美しい季節になりました。学校が始まってから、もうすぐ2週間が経とうとしています。すぐに連休に入ったので、まだ学校に慣れていないと思いますが、英気を養って、勉強に部活動にがんばりましょう。気分転換《てんかん》に本も読んでね。

学級文庫について

名取市図書館から、学級文庫として２００冊お借りしました。箱は、北海道の石狩《いしかり》市民図書館が用意してくださったものです。

お借りしたときの様子が、石狩市民図書館ホームページで紹介《しょうかい》されています。「名取市支援《しえん》報告　H23.4.26（PDF)」をご覧ください。

未返却図書について

昨年度借りた本を、ずっと預かってくれていて、どうもありがとう。もう返してもらっても大丈夫《だいじょうぶ》なので、持ってこられる人は持ってきてね。

返せない人は、仕方ないことなので、すまながらなくていいですよ。

返せなくなってしまった人は、そのことを教えてください。
個人カードも全員分用意してあるので、
遠慮《えんりょ》せずに借りに来てね。

5月1日から、図書館の先生は、市役所の仕事のお手伝いに行くことになりました。戻ってくるまで、名取市図書館から、司書の大西敦子先生が来てくださいます。貸し出しや、本の相談は大西先生にお願いしてくださいね。

2日（火）と6日（金）は、千田も学校に来て、大西先生に学校のことを覚えていただきます。よろしくお願いします。

あの時　考えたこと・気にかかったこと―先生方へのアンケートから―

宮本靜子

震災から少しずつ時間が経つと、あることが気になった。それは、入学してくる生徒たちの様子の変化だった。授業や日常会話で震災について触れたとき、あの時中学生だった生徒と小学生だった生徒とは、明らかに違うという感覚だった。

そう思っているのは、自分だけだろうか。このことも含めて、女性の先生方数名に聞いてみた内容を紹介する。（アンケートの実施は、震災から四年後の二〇一五年十月。）

【震災後から学校の再開まで大変だったことは】

・避難所に寝泊まりすることが多く、自分の子どもも心配だったが、避難所となった学校の先生方が、被災者の対応に尽くす姿を見て「こんなことは言っていられない」と夢中で対応した。大変だと感じたことはなかった。

・不安だったことは、学校再開後どのように子どもたちの心のケアをしていったらよいか、自分に出来るのか、ということだった。

・様々な方たちが、心のケアに携わろうとして、その調整が大変だった。

・自宅が被災し、自家用車の流出・交通機関の不通により出勤できなかった。避難所を回っていた先生方に迷惑をかけた。

・生徒がどのような状況で生活しているかについて、把握すること。
・授業に不足しているもの（時間も含めて）を考えて準備すること。
・生徒の心のケアと自分の心の整理。
・被災校から、心の整理がつかないまま転勤してきたこと。
・臨時職員室（市役所内）から各避難所を回り、勉強会を行ったが、そこで子どもたちとの距離を縮めていくことが出来た。
・学校再開後の校舎への引っ越しなどの準備が大変だったが、周りの方々（名取市内の小・中学校教職員の方々など）に助けていただき、感謝の気持ちの方が大きく、何が大変だったかよく分からない。
・生徒の安否確認のため、遺体安置所で生徒と対面し保護者にお伝えするときが一番辛かった。このような状態で、学校の再開を考えることは夢のようだった。
・卒業生の進路事務と次年度の準備が重なり、時間はいくらあっても足りないと感じた（必要書類の受領と連絡、指導要録の作成と発送など）。
・車が津波で流されたため、出勤・退勤が大変だった。自宅まで徒歩で二時間歩く間、色々なことが込み上げ、涙がでた。

【学校を再開するにあたり最も大切にされたことは】

・子どもたちが安心して学校生活をおくることができるように、環境面で配慮したり笑顔で対応することを心掛けた。

・いつでも、不安なことを相談できるように、場所の確保などの対応を心掛けた。

・自分たちの街や住居、取り巻く環境は変わったけれども、学校は変わりなく存在するので、日常を取り戻して子どもたちの心が少しでも安定するように努めた。

・いつもどおりの生活をさせて、心を安定させる。

・どんな状況の中でも、夢や希望を持ち続けるようにさせること。

・中学生が、本来この時期に体験すべき当たり前のことを体験させたいと思った。

・一人一人の子どもたちと向き合っていくうちに、子どもたちはもちろん、家族も本当に大変な状況だと分かった。その中で、勉強・部活動・行事などに手を抜くことなく目標を持たせて、一緒に取り組もうと努めた。

・常に、生徒に寄り添うこと。これまでの教員としての経験をすべて注ぎたいと思った。

【震災後、心のケアの観点から、生徒に接するときに大切にしたことは】

・生徒一人一人の状況が違うため、自分から話してくる場合はよく聴いたが、こちらからあえて震災の話を出したりその時の状況を詳しく聞いたりするようなことは控えた。

・心のケアでいちばん大切なことは、普段どおりの生活を早く取り戻すことだと分かった。睡眠、栄養、運動などの基本的生活習慣を整えることが必要だと先生方にも伝え、生徒に対応してもらった。

・生徒一人一人の心に寄り添えるよう、常に様子を見ていた。話したくないときは聞かず、話したいようなときは、受容の姿勢で聞いた。

・学期末の集会や行事の時には、学年主任としてあえて震災で亡くなった生徒の話をすることで、気持ちの整理が出来るようにしていった。

・共感することしか出来なかった。「怖かったね」「大変だったね」「友だちがいなくなって寂しいよね」という感情を共感し合っていたと思う。

・子どもたちの心の中には、言葉に出来ないものがある、といつも寄り添うようにしていた。

・「先生はいつも見守っているよ」「応援しているよ」と言う気持ちで接するように心掛けた。

・一対一になると、泣き出す子、涙が止まらない子、家族にも話せず笑顔でいようとする子と時に応じその表情は様々だった。体験したことも様々で聞く状況も違うので、いつでもどんな場面でも「きく」ということを意識した。

・心のケアはできなかったが、担任として一人一人と向き合ううちに、生徒の口から「頑張りたい」という言葉を聞いたときは、背中を押してあげられる存在になりたいと思った。

【震災後、入学してくる生徒たちに変化は感じられますか】

・雷や地震を極端に怖がったり、震災の話になると構えたりする様子が見られるようになった。震災当時中学生だった生徒とは、思いを共通にして過ごしてきたが、当時の年齢が低年齢化していくにつれて、自分の気持ちを言葉にしない（できない）生徒が増えてきたと感じている。

・今になって、ようやくあの時のことを話せる子がいる一方で、未だに被災地へは足を踏み入れることが出来ない子がいる。その子にとって心の回復は様々で、それも自分を守るためには必要なことだと、神戸の臨床心理士さんが話していた。だからこそ、私たちは長期的な視点で子どもたちに関わる必要があると思う。
・震災の出来事を覚えていない、あるいは話してはいけないことだと思っている生徒が増えていると思う。ただ、地域に対する愛着もあまり感じることが出来ない。
・自分の将来を大切に考える生徒が、減ってきているように感じる。
・被災した時の年齢や状況によって、震災に対する意識が違い、学年のカラーがあると思った。自分の将来や地域への思いも違うと思う。震災当時、中学生に在籍していた学年の生徒たちの方が、これからの名取、閖上を良くしていこうといった思いが強く、積極的に活動しているように思える。
・被災した時の年齢が、六年生と五年生でも大きく違うと感じた。六年生だった学年は、当時のことを話したり（避難所で大人が優しかったなど）、復興プランを考える学習に意欲的に取り組んだりしたが、五年生だった学年は、震災前の地図を見るのも難しいと思った。
・どんなに時間が経過しても、子どもたちが負った傷は深いと思った。

これらのアンケートの結果から、いくつかの点をまとめてみた。

一点目は震災直後の私たちが、大切なこととして取り組んだのは、生徒を見守り良く話を聞くこと、心に寄り添うことだった、ということである。休み時間や給食後の昼休みの時間は、ほとんどの先生が生徒のそばにいたのを覚えている。いつも見守って応援しているよ、というメッセージが自然と生徒にも伝わったと考える。

二点目は、普段どおりに生活させることが、大切だったことである。自宅が津波で流され避難所や仮設住宅にいる生徒たちにとっては、学校にいる時間だけが震災前と同じ生活だった。日常生活を少しずつ取り戻していく過程で、生徒たちも私たち大人も自己効力感を回復していった。

三点目は、気に掛かっていた心のケアと被災年齢との関係である。次第に震災後に生まれた子どもたちが入学してくる時期であるが、あの時まだ幼かった子どもたちが今後成長していく過程で、長期的な視野に立った心のケアが確実に必要だと考える。心の不安定さや夢の持ちづらさは、生き方に関わる大切なことである。様々な経験の蓄積から、私たちは適切な支援や配慮をしていく必要がある。

一方、震災後には実に多くのアンケート調査の依頼があった。その内容には、次のような選択肢があった。「自殺の計画をしたり死のうと思ったことがある」「人生が空っぽで生きている価値がないと思う」「誰も信用できない」このような項目を、中学生が目にしたときにどう思うだろうか。何もない状態であれば、「いいえ」にチェックすれば良いと思うが、両親を失った子、親友を亡くした子は、この活字を見たときどう考えるだろうか。立て続けに依頼が来るアンケート調査に目を通すたびに、深く考えた。そして、アンケートのタイミングと内容を吟味し実施した。

現職教育の研修会で指摘されたことの中に、「被災者に対するアンケートが不適切に行われた結果、逆に被災者を傷つける心のケア公害が起こっている」という内容があった。特に、被災から初期の段階では次のようなことも指摘されている。

『初期援助に感情表出が不適切なのはなぜか』

○表現による感情表出には、苦痛を伴うことが多い。

○表出には苦痛を伴うので記憶にアクセスすることへの回避を促す。

○回避が常態化すると、マイナス情動のレベル低下が阻害される。

○マイナス情動のレベル低下が起こらないと反応が持続する。

◎初期の感情表出はＰＴＳＤ（心的外傷後ストレス障害）を起こりやすくする。

このことを充分に理解した上で、子どもたちに関わる必要があることを知らなければならない。「何年経っても心の傷は深まるばかりだ」と言った人がいる。その人にしか分からない感情がそこにある、このことも、大切に心に刻んでいきたいと考える。

第四部　閖上のまち（地域を知って地域の人になる）

閖上という名前は

宮本靜子

「閖上」の字は、日本独特の漢字で、名付け親は江戸時代の仙台藩第四代藩主伊達綱村と言われており、地名を研究している今尾恵介氏は、次のように紹介している。

「『角川日本地名大辞典』によれば、閖上の地名は、名取市高舘の熊野那智神社にまつられているご神体がこの浜に揺り上げられたことによる、と十八世紀の仙台藩の地誌『封内風土記』の記述を引いている。かつては「陶上、陶揚」などと記されていたのを、第四代仙台藩主・伊達綱村が十キロほど離れた大年寺に参詣した際、山門からこの地を遠望、「門構えの中に水を書いて閖上とせよ」と命じて出来た字であるというから、もちろん国字で仙台藩以外に使われていない『ふらり珍地名の旅』筑摩書房）」。

今尾氏は、実際閖上を訪れ、丁寧に取材し地域住民の声も拾い「大津波は家々を、人々の生活の多くを流し去ってしまったけれど、地名だけは変わることなくここに留まっている。土地の不屈の意志のようなものだろうか」と述べている。

土地に意志があるとすれば、それはそこで生活する人々の土地に対する愛情や様々な思いが受け継がれて根付くものだろうと考える。東日本大震災で甚大な被害を受けながら、なおその土地に住み続けたいという人々の姿が、宮城県に限らず多く取り上げられてきたからである。人々の故郷への特別な思いは、時代が移り変わっても変わるものではないと考える。

閖上の名付け親とされる伊達綱村と言えば、伊達騒動の発端となった三代藩主綱宗の強制隠居によりわずか二歳で藩主になった人物である。後見人を廃止し十七歳頃から具体的に藩政を行いだしたとされている。前宮城学院女子大学学長で歴史学者の平川新氏は、特に若き綱村の藩政について、藩主に不善があった場合は諫言させそれを素直に受け入れていること、諸役人に対しては、民のための役人であるように戒め家柄にとらわれない思い切った人事方針を打ち出すなどが、注目する点であると述べている（『仙台藩のお家騒動—四代藩主綱村の伊達騒動—』大崎八幡宮「仙台・江戸学叢書」）。一方、その治世には様々な批判や諫言があり、隠居を余儀なくされた藩主でもある。綱村はどのような思いで、大年寺から見える浜を眺めただろうか。

「地域を知って地域の人になる」地域調査

宮本静子

二〇〇九年（平成二十二年）十月に、社会科の授業で地域調査を行った内容を紹介する。

中学校の地理的分野で示されている「身近な地域の調査」は、「地域の課題を見いだす学習」として位置づけられているものの、実際はなかなか実施されないという実態がある。やや古い統計ではあるが、二〇〇七年に宮城県内公立中学校一〇七校の先生方一二八名にアンケートを採ったところ、「地域調査を行っている」という回答は三十二名（二十五％）に留まった。これには、総合的な学習の時間や夏休みの課題などの取り組みも含めており、実際の社会科の授業の中での実施は、十一名（八％）に過ぎず、小学校の「まち探検」と比較すると、実施率は低い。

地域調査での鈴木善雄さん

その背景には、「時間がかかり、準備する時間もない」「生徒を校外に連れて行くことは困難」「地域調査のやり方がわからない」「大規模校で実施が難しい」などの回答が寄せられた。この地域調査をやってみよう、と計画を立てることにした。

まず、地域のことを一番知っている方を探した。すると、「閖上公民館の館長の鈴木善雄さん」という方だということがわかり、まず、私自身が閖上のことを知らなければ、と公民館を訪ねた。鈴木さんは、たくさんの資料を準備して、閖上の歴史や貞山運河の役目、伊達政宗との関わりなど休む間もなく語られた。気がつくと

地域調査で名取川を見る生徒たち

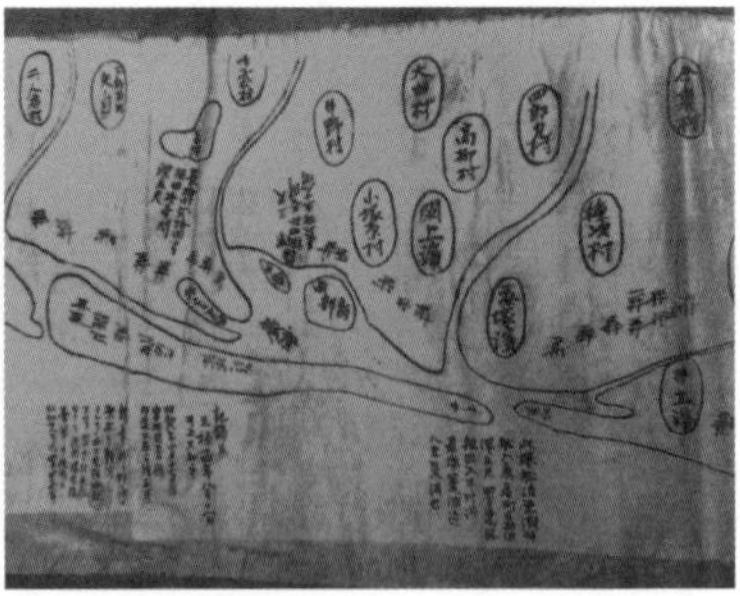

閖上の古い地図

三時間も経っている。

鈴木さんは、たくさんの資料を準備して「地域を知って地域の人になる」ということを熱く話された。そして、実際の地域調査では、案内役を買って出て下さることになった。

調査の前日、「これ、資料作ったから、生徒さんに渡してけらいん」と届けて下さった。閖上風土記や閖上ざっこの会で発行している写真集から多く取り入れられている内容は、生徒にも大変わかりやすい解説付きだった。

この地域調査の五ヶ月後の三月に、東日本大震災が起こった。不安の中、避難所の体育館や仮設住宅で過ごし、卒業までの一年間をＮＨＫのカメラが追った。

この生徒たちが三年生の時、まちの復興を考える学習に取り組んだ。心のケアにも配慮しながら、社会科の学習と総合的な学習の時間と連携する形で進め、発表会をすることにした。その講評を鈴木善雄さんと神戸市役所から名取市に出向で来ていた方にお願いした。

鈴木さんは震災当日、閖上中学校に避難されたが、あと少しというところで奥様が津波の犠牲になられた。海沿いのお宅には何度かお邪魔したこともあり、「どうぞ、入って」とお茶やお漬物をごちそうになった思い出がある。

「地域調査でお世話になった生徒たちが、今三年生になって復興プランを考えて

日和山での記念撮影

いるんです。その発表会に是非来ていただけませんか」というと、大変嬉しそうにされ、「もちろん、いぐっちゃ（行くよ。）」と言ってくださった。

「　地域を知って　地域の人になる　」

①閖上町役場

・明治維新以前	主として役場を肝入宅に置いた。
・明治以降戸長時代	一定せず民家に置かれた。
・明治22年4月	村制実施後東多賀村となる。
・明治35年	世帯数715戸　人口4668人
・大正7年	仏文寺の現在地に村役場が新設された。（現　上町集会所）
・大正9年	世帯数946戸　人口6093人
・昭和3年4月1日	閖上町となる。
・昭和5年	世帯数1203戸　人口6782人
・昭和30年4月1日	2町4村合併名取町となる。閖上町・増田町・高館村・館腰村・愛島村・下増田村
・昭和33年10月1日	名取市となる。
・昭和60年	閖上支所が閖上公民館に移転

②増東軌道（ｶﾞｿﾘﾝ気動車）

・貴族院議員・増田繁行は、明治19年東北本線敷設するにあたり塩釜よりの資材運搬にあたり貞山運河により舟で閖上まで運搬し増田の工事現場まで蒸気機関車を使用した。したがって閖上・増田間の現在の道路はそのまま増東軌道の跡地を活用したものである。

・名称　増・東軌道（5.2キロ）増田・東多賀村間

・東多賀村は閖上町（昭和3年4月1日）・運行期間・大正15年11月21日～昭和13年4月の間でその後昭和18年5万5千円で仙台に売却

・増田～閖上間乗車賃　21銭

・魚行商人は、とくに荷籠代入れて15銭（大半の利用者が魚商人のため優遇措置）

＊増田繁行　貴族院議員・県会議員・初代県議会議長をつとめ高柳で生活した。

③閖上座

・閖上座は、仙台の博覧会の施設を譲り受けて、建てられた。創設は、明治時代又は大正時代とも言われている。

・入場料　子供　5銭・ 大人　10銭～15銭

・所有者は、相原セトヤさんですが興行権を持っていたのは、萱場さん（山三）でした。

・昭和38年セトヤ裏に新築移転する。

・その後萱場さん死亡後は、興行権は、相原セトヤさんに移転

④渡し舟

・江戸時代より、閖上大橋完成の昭和47年9月まで運行した。

・川幅300メートル を1日40往復

・船賃　大人5円　・ﾊﾞｲｸ20円　・ﾘﾔｶｰ30円
常連の農家は、1年分まとめて米又は麦を船賃代わりとした。

・1級河川に昇格してからは、建設省管理となり昭和37年4月1日より船賃無料化となる。

・渡し舟廃止に伴い藤塚側に渡し舟の記念碑が最近設置された。

-地域を知って　地域の人になる-　　1/3

⑤閖上御假屋

・伊達政宗公は、遠来し行政視察も兼ね、名取川での鮭漁を楽しんだ休息所屋敷(御假屋)が閖上にあった。
・当時の名取川は、水深が非常に深く江戸方面からの物資丸森方面からの材木・米など阿武隈川経由で貞山運河を経て、また外洋を経て川口から閖上に入港し、閖上港から名取川・広瀬川を経由し仙台方面(宮沢橋付近舟丁)に運ばれ仙台城の築城と城下の街づくりに役立った。
・当時宮沢橋付近が広瀬川水上交通の終着点でありそこに舟衆が住む舟丁が作られたのである。
・当時の舟の航行は、川幅により陸曳きが主流のようでした。

⑥魚市場

・明治・大正の魚市場は個人経営であった。　その後共同体となり昭和23年に漁業法が成立し現在に至る。

・昭和29年まで名取川沿いに魚市場があり漁船の係留も当然名取川沿いでした。

・漁船の入出港は、名取川の川口を利用していたので洪水時、干潮時には、川口が変化し航行に困難が多かった。その為に「川口守り」という人が専門にいて「川口守り]の旗を合図に入出港を指示した。
・どうしても出港する舟(15トン未満) は、貞山運河を利用し塩釜港より出港した。

⑦湊神社

・昔は、*古明神墳のところに鎮座(1652年)水門《みなと》四社*大明神と称していた。

・閖上の浜に、たびたび火災発生、水門明神に神託を　受け、神名の水門を[閖]として地名とした。したがって、閖上の　閖は、漢字にはなく、日本国内で作られた国字ということに成ります。地名のいわれには、諸説あり。
・1657年現在地に遷座
＊ 古明神墳(法印塚　) 閖上西方5町の場所で明治3年に現在地に遷座された。
＊ 四社とは、稲荷・祇園・加茂・春日の4社である

⑧旧宮下橋(長さ16間3尺)

・明治18年貞山堀改修により板橋となる。

・大正5年改修さらに昭和42年に現在の橋となる。

・宮下橋の名の由来　橋の下南に、富主島と呼ばれる所に鎮座されていた**富主姫弁財天**があったことから命名された。

・明治41年湊神社に氏神を移す。
・大正9年に日和山築山落成とともに湊神社境内より同山山頂に遷座され現在に至る。

-地域を知って　地域の人になる-　　2/3

（昭和40年頃の中島館）

⑨中島館

・当時の長町を含む名取郡内でも、1～2位を争ったといわれた割烹旅館として、大変評判であった。

・写真下部の水面は、広浦水域の一部でした。

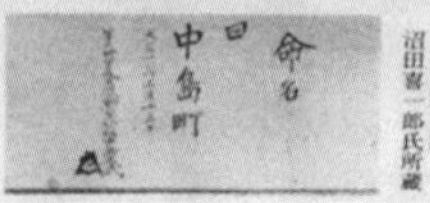

（中島中将書）
閖上字町九四
沼田喜一郎氏所蔵

⑩日和山

・舟の出入り・気象・海上の状態等見た所、以前は、小高い丘で　あったらしい。

・築山大正9年・在郷軍人会が発起人で村民全体で築いた。
・当時の第2師団長・中島中将も作業をした。
新丁が中島町（ 現3・4丁目）と呼ばれる由来です。

・完成と同時に湊神社から富主姫神社を遷座し、しばらく伊藤秀吉氏が管理。その後湊神社管理となる。

⑪開運橋

・昭和3年に完成

・造船所が近くにあったので新造船の運が開けるようにと開運橋と命名し　その橋の下を新造船が通った。

・当時の貞山運河は、かなりの水深があり魚市場と同様に町の心臓部であったことが目に浮かびます。

作 成 日　2009年12月17日
参考文献　閖上風土記他
文　責　鈴木善雄

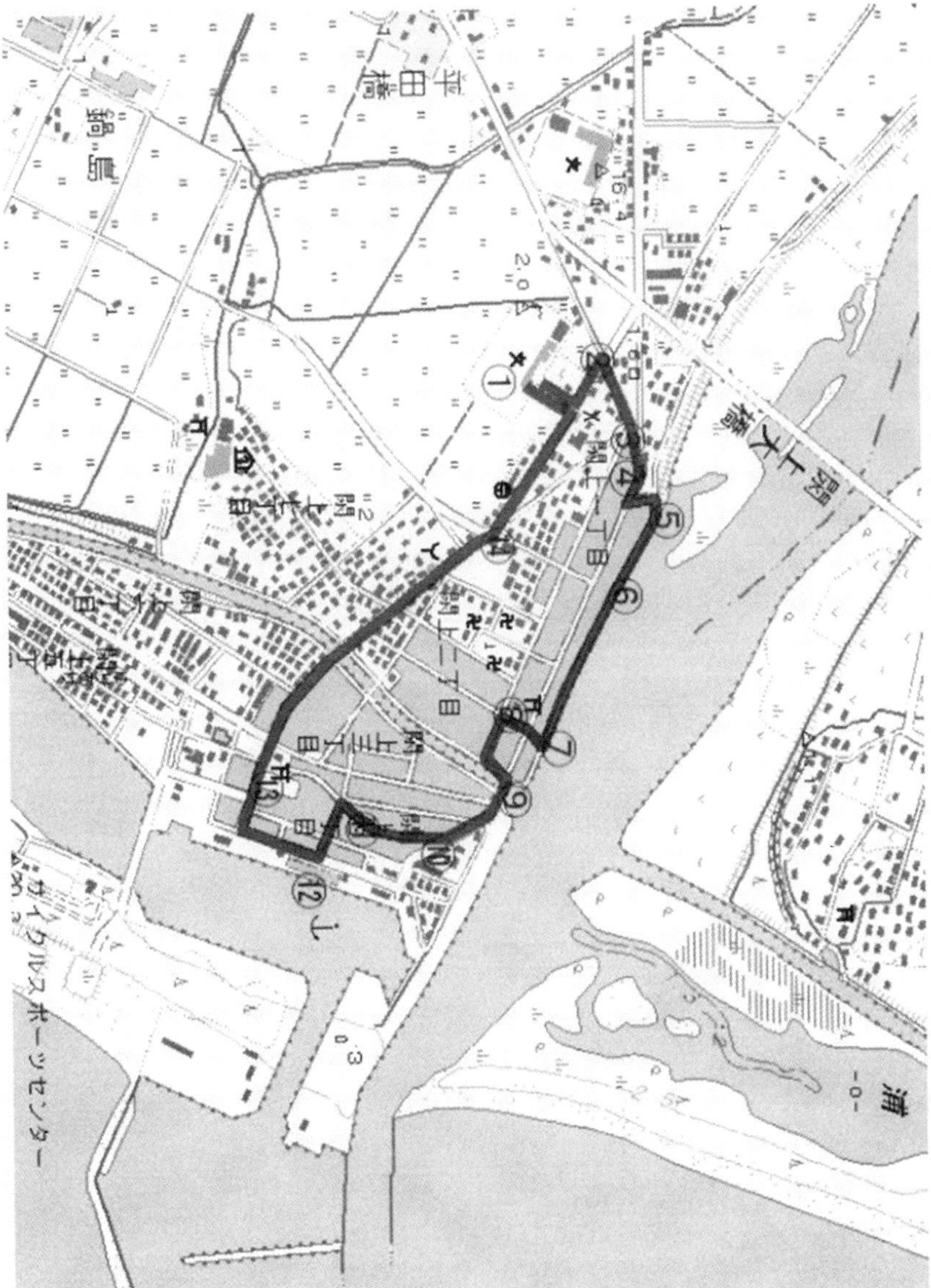

国土地理院の電子国土 web システムから提供されている内容に調査場所を記入したもの

完成したジオラマ（高い防潮堤がある）

復習プランを考えるジオラマづくり

発表会で講評して下さる鈴木善雄さん

復興プランを発表する生徒たち

復興プランを考える

宮本靜子

三年生の社会科（公民的分野）の学習のまとめとして、「より良い社会を目指して」という単元がある。この学習を総合的な学習の時間と連携させて、地域の復興について考え、表現する学習に取り組むことにした。閖上がどんなまちになってほしいかイメージして、ジオラマを作って発表する、という取り組みは、どうしても震災前のまちの様子を思い浮かべることになる。自宅をそして家族を失った生徒に、果たしてこの学習は辛いものにはならないだろうか。悩みながらも、学年の先生方と相談して「やりましょう」ということになった。

二年生の時に地域調査をして、閖上の歴史や温かさを発見した学習をもとに、各班で話し合いを深め、楽しそうにまちのジオラマを作っていく様子を紹介する。

公民プリント　「よりよい社会を目指して」　　2012／2／16

こんな街になってほしい閖上

3年　1組　2班

メンバー

どんな気持でどんな街になってほしいと思って制作したか

私達は、全国の人に閖上が元気になった姿を見てもらえるように、閖上全体がにぎやかで活気のある街になってほしい悲しかった事を忘れるくらい楽しい町になってほしいと願い、何よりも早く閖上が復興してもらいたいという気持ちを忘れずに作りました。

プランに入れた施設とその理由

私達は閖上の町を遊べる場所として、閖上以外に住んでる人も足を運んでくれるようにいろいろな施設を作りました。遊園地はたくさんの人が閖上に来てくれるように、結婚式場は大好きな伏見先生のために作りました。海が見えるよう作りました。ドームも作りました。閖小、閖中はもちろん、漁業科のある閖上水産高校も作りました！交通が便利になるよう、名取・仙台・空港に行ける電車を作りました。また、子どもが遊べるよう、閖上の中心に広い公園を作りました。

制作する上で工夫したところ

工夫したことは、まず第一に今までよりも高い堤防を作った所です。
また、避難ビルなど避難できる建物を何ヶ所か作りました。
全体の建物を高く作り、学校や住宅街は海から遠い場所に作るようにしました。そして今まで閖上にあったゆりりんを復活させ、防災面でも環境面でも役立つように作りました。

閖上の街について考えたこと・制作しての感想

私達は、このジオラマを作っているうちに、早くにぎやかで活
気のある閖上に戻ってほしい、はやく復興しないかという
気持ちが強く・大きくなりました。復興には時間がか
かるけど、閖上は自分達が大好きな町、ふるさとなので
閖上の復興に少しでも役立つように、自分達でできる活動を
していきたいと思います。10年後・20年後には震災前よりも
いい閖上の町を作っていきたいです：
でも、閖上が都会化してしまうのも嫌です…。
1日でも早い復興を祈ります！

写真

3学年だより

平成23年12月 22日
第3学年だより No１３
名取市立閖上中学校
文責　菅井　聡恵

「こんなまちになってほしい閖上」について
（Ｆタイム発表）

２学期の後半のＦタイム（総合的な学習の時間）は未来の閖上についてのジオラマを製作し、12月19日（月）にグループごとに発表会を行いました。グループの発表を聞いての感想について、その一部を紹介します。

創作するのには時間がかかり、終わるかどうか心配だったけど終わって良かったです。発表は成功したので良かったです。この創作を行って閖上の未来がもっと楽しみになりました。

８つの班を聞いて、みんな閖上の事が大好きなんだなと思いました。にぎやかな町もいいなと思いました。未来の閖上を考えるのがとても楽しかったです。

私は、このジオラマをつくってみて、これからの復興に向けていくことで１番大切なのは、やっぱり住民の安全を確保することだと思います。同じことを何度もくり返さないために、このようなことは必要になると思いました。はやく復興に向けて進んでいきたいです。

自分たち以外の班の発表を聞いて、とてもいい話を聞けました。みんななりの考えがあり、良いと思いました。閖上のことについて考えられたので良かったです。閖上は、皆の意見が合わさってこそ閖上になるんだと思いました

ジオラマ製作をして、閖上について深く考えることができて良かったです。私たちが考えたこのような町が復興プランに入ればいいと思いました。早く閖上の復興後を見てみたいと強く思いました。どこに何をおくかなど班のみんなと話し、協力して作れて楽しかったです。

自分が頭に描いていたことをジオラマで再現するのは難しかったです。私的には、どんな形でも閖上は、あの場所にあるからこその閖上なので、いつか閖上に帰りたいと改めて強く思いました。

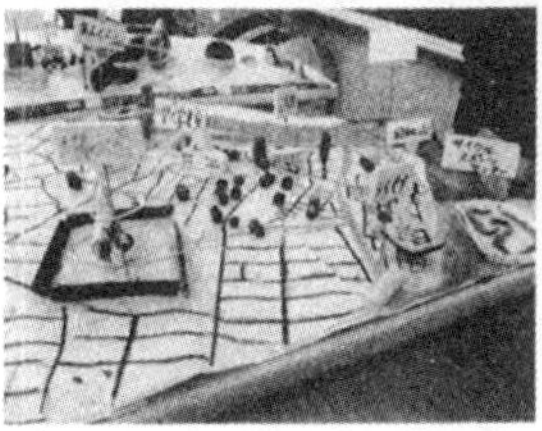

やっぱり一番いいのは閖上だなって思いました。なので僕たちの班は元通り+αでした。でも他の班は全く違う閖上とかもあったんですが、それも新鮮でいいなと思いました。

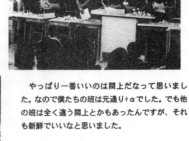

第五部　真心の支援は全国　世界から

吹奏楽部は石川県へ

宮本靜子

ここに、一冊のしおりがある。生徒が描いたかわいい表紙。吹奏楽部が、石川県七尾市で開催される「モントレージャズフェスティバル　イン　能登」に招待されることになった。

　東日本大震災の様子が報道されると、様々な支援の輪が広がっていった。吹奏楽部は卒業式での演奏が最後になった部員たちもいる。親の会の会長をしていただいていた方もお亡くなりになった。卒業式のあった体育館に置いたままの楽器は、全て津波をかぶってしまい、もう吹くことはできない。学校から、楽器の音色が消えると本当にさみしいと思った。そこに、真心の楽器が届いたのである。

　震災翌日から、金沢の近江町市場では、募金箱が置かれたという。どこに支援するかはわからないが、とにかく甚大な被害を受けたところへ届けたいという思いだったそうである。たまたま報道で被災の状況を知った市場の青年部の方々が、「この学校にしよう」と、閖上中学校への楽器の支援をしてくださることになった。六月二日、北陸放送の報道部からは、その

金沢市近江町市場に置かれた募金箱

しおりの表紙

練習に励む生徒たち

楽器を生徒たちが受け取る様子を取材して放送したいとの連絡も入り、アルトサックス、ホルン、ユーフォニアム、スネアドラムを送っていただいた様子は後日放映された。

その後、七尾市で開催される「モントレージャズフェスティバル　イン　能登」の実行委員の方々が、わざわざ中学校（不二が丘小の東校舎）に来られ、開催の趣旨と招待したいとのお話を頂いた。部員はわずか十名。そのうち一年生が五名なので、楽器が吹ける部員は五名しかいない。夏のコンクールに出場できるのか、という人数である。加えて、ジャズのレパートリーもあまりない。この状況をお伝えし、お断りした方が良いでしょう、と生徒の練習風景を見ていただくことにした。

練習場所は、不二が丘小学校の音楽室。支援していただいた楽器で、練習する生徒たち。「お客様ですよ」というと、笑顔で挨拶。きっとこの笑顔が良かったのかもしれない。実行委員の皆さんは、十人の生徒の姿を見て「何としても招待させてください」と語られ、参加させていただく運びとなった。「是非、卒業生とその保護者の方々も」ということになった。

七月二十四日、岩沼市民会館で吹奏楽コンクール地区大会が行われた。他の部活動の生徒も加わっての演奏だった。曲は、T・スザート作曲の舞曲集から『モール人の踊り』、ロンド『友だち』、バスダンス『牧歌』である。「今年は、出られるだけでいいよね」と言っていたが、コンクールの日が近づくと、「私たちにしかできない演奏をしよう」「『友だち』のメロディーは、あの子たちに届けよう」と話し合いをして練習に臨むようになった。

そして当日。たぶん、天にいる三人が応援していたのだろう。出場団体の中で、最も少ない人数で県大会の切符を手にすることができたのである。夏休みの練習予定表には、八月五日の県大会の日程は入っていなかった。生徒自身が、驚く結果だった。

普通なら、県大会に向けての練習が始まるはずだったが、生徒たちは石川県に向かった。七月二十八日から七月三十一日までの四日間、生徒十名、卒業生五名、保護者と教員合わせて二十五名のツアーになった。

七月二十八日、わざわざ石川県からのバスが学校に到着する。「お世話になります！」と挨拶してバスに乗車。楽しい旅が始まった。高速道路の国見ＳＡで休憩。東北道から常磐道の阿賀野川ＳＡで昼食をとり、北陸道を通った時、ある一年生が言った。「海を見るのは、久しぶりだなあ」と。震災から余震が続いていた。閖上は水は引いたというものの、立ち入っては危険だと、近づかないように指導していた。目の前に広がる美しい日本海。子どもたちも保護者も、静かに海を見つめていた。

宿に到着した。和倉温泉の加賀屋さんである。その出迎えに感動した。従業員の皆さんが大きな列になって笑顔で迎えてくださる。日本一のお宿とは、こうなのか。大きな横断幕に「歓迎　閖上中学校」の字を見たとき、生徒はきょとんとしていたが、大人たちは泣いていた。部屋に着くと、抹茶とお菓子とおしぼりが。「冷蔵庫の中は、どうぞご自由にしてください。女将からです」と言われたが、生徒たちは「えっ、本当に良いんですか」と信じない。それほどたくさん入っていた。夕食会場では、具合の悪くなった卒業生のために、急遽別な食事を用意してくださった。細やかな気遣いに感動の連続だった。近江町市場からは、お花も届けられた。こんなにまで、と心がいっぱいになった。

スイーツのサプライズ

本番のステージ

七月三十日十五時、本番のステージ。曲は、『Weeek/NEWS』『イチブトゼンブ/B,z』『残酷な天使のテーゼ』の三曲。生徒・卒業生に混じって、久しぶりにドラムを担当した。プロのジャズ演奏家もいる前で、などと考える余裕もなかった。温かい拍手。部長の素直な挨拶。これも新聞やテレビで報道された。

翌七月三十一日が最終日。この日の朝食でサプライズが。有名なパティシエの辻口博啓さんが、高級ブドウの「ルビーロマン」を使ったスイーツを振る舞って下さったのだ。生徒たちは大喜び。加賀屋さんの豪華な朝食を残してまで食べたスイーツは、さぞおいしかったことだろう。なお、ブドウを栽培されている竹森ぶどう園さんからは、義援金まで頂いている。

七月三十一日、お別れの時。お見送りに立って下さっていた女将さんの元へ生徒たちが行く。一緒にと、記念に写真を撮って下さった。一人一人にお土産まで用意して、姿が見えなくなるまでずっと手を振って最高のお見送りをして下さった。この写真は後日学校に届けられている。バスは、一路宮城県へ。途中、金沢の近江町市場に寄り、感謝の演奏を行った。あたたかな拍手に、嬉しそうな生徒たち。募金の中心になって下さった坂野さんから、果物のアイスまでお土産にいただいた。たくさんの思い出を抱えて閖上に到着したのは夜になっていた。私たちを下ろした後、バスはまた石川県へ帰って行かれた。バスは石川県と宮城県を二往復したことになる。

近江町市場の青年部の皆さんと

加賀屋の女将と吹奏楽部の生徒たち

この思い出の旅が実現できたのは、「モントレージャズフェスティバル　イン能登」の実行委員の皆様のご厚意によるものだ。当日まで、何度も何度もファクスやメールで日程や会場など細部にわたりお知らせいただいた。生徒たちばかりでなく、大人の私たちにまで一生の思い出を作って下さった。心から感謝いたします。

今でも続いている交流　―東京都立富士森高校吹奏楽部の皆さん―

宮本靜子

震災発生の平成二十三年から、ずっと途切れることなく交流が続いている学校がある。東京の西部、八王子市にある都立富士森高校吹奏楽部の皆さんである。初来校（平成二十三年八月）の一週間ほど前、顧問の田戸正彦先生から次のようなファクスが届いた。

「この度はお手数をおかけしますが、よろしくお願いします。当日生徒がつくったファイルを貴校の生徒さんにお持ちしたいと考えていますが、お名前を入れさせていただきたいので、パート名とお名前をお教えいただけませんか。どれほどお力になれるかわかりませんが、生徒たちは一生懸命準備しておりますので、どうぞよろしくお願いいたします」丁寧な学校だなあと驚きながら、学生時代、西八王子に下宿していた私は「あの学校だ」と懐かしく当時の風景を思いだした。不思議なご縁で、交流が始まることになる。

八月二十八日、大型バスで到着。「こんにちは！！」とはじける笑顔で挨拶する姿に、生徒たちは圧倒される。「先生、なんだかすごい人たちだよ」と驚いている間にテキパキと楽器を下ろすと『イン・ザ・ムード』を演奏して下さる。大迫力のサウンドにまたまたびっくり。その後、各パートに分かれて練習した後に『マルマルモリモリ』を合奏。そして、一人一人に当てた名前入りのファイル、シールでデコレーションされたメトロノームを寄贈していただいた。

あるパーカッションパートの男子部員の方は、「これ、組み立てましょうか」とドラムセットを汗だくで組み立

閖上朝市で演奏会をする富士森高校

「咲」のプレゼント

てて下さった。これは、ドイツのハム市から寄贈されたものだったが、ダンボールから出してまだ組み立てられずにいた。「新品のドラムセットなんてなかなか組み立てられないっすよ」と、バスドラムの中に毛布まで入れて音を調整して下さった。到着からわずか約一時間位のこの交流から、十年にわたる真心の支援が始まった。

あるときは「定期演奏会の時、来場者に書いていただきました」と、模造紙いっぱいに貼った応援のメッセージカードや、「みんなで折りました」と折り紙の花を貼り合わせて作った「咲」という大きな字の掲示物、コンクールの前には一人一人に手作りのミサンガ、受験の頃にはホッカイロが入るフェルトの入れ物と、いつも閖上中吹奏楽部を思い励まして下さった。平成二十六年からは「定期演奏会に是非！」と招待したいとの案内も頂くようになる。

富士森高校吹奏楽部の皆さんは、本校との交流だけでなく、閖上朝市でのコンサート、仮設住宅での演奏など多岐にわたる支援活動を続けている。定期演奏会では、それらの取り組みを、大きな画面に映し出して紹介する取り組みも続けている。

定期演奏会の日のロビーでは、親の会の皆さんが、閖上のお土産品を販売されていて、その売り上げは閖上への支援活動に当てていただいているという。また、定期演奏会では卒業生のＯＢ・ＯＧの皆さんがスタッフとして部のサポートを続けていらっしゃることも素晴らしい伝統だと思う。はじける笑顔の皆さんに、教育の原点を見る思いがする。

毎年八月の末に、皆さんで閖上を訪問して下さる様子が、二〇一九年、ＮＨＫの朝のニュースで全国に放送された。開校した閖上小中学校を訪問した高校生の皆さんは、はじける笑顔で「ありがとうございました！！」と挨拶をされていた。「周りの人を幸せにすることで自分も幸せになろう」というモットーは、後輩の皆さんにも見事に引き継がれている。

メディアの力

宮本靜子

大津波が閖上を襲った翌日、被災した校舎にテレビの取材が入っているな、と気がついた。明るくなってから次々と運ばれてくる避難者や、次の避難所への輸送計画を作り進めようと夢中で取り組んでいる現場は、そんなことに気をとられている余裕はなかった。そんな取材関係の方の中で、その日から約一年間に渡ってカメラを回し続けていたのが、ＮＨＫ取材班の大野太輔さんとカメラ担当の柿崎耕さん、音声担当の八鍬健太郎さんだった。「この学校を撮り続ける」と、取材は毎日続いた。生徒たちもすっかり顔なじみになってしまい、社会科の学習で復興プランを考える時に、閖上に関するイメージ図に、「ＴＶ」「大野さん」と書くほどである。

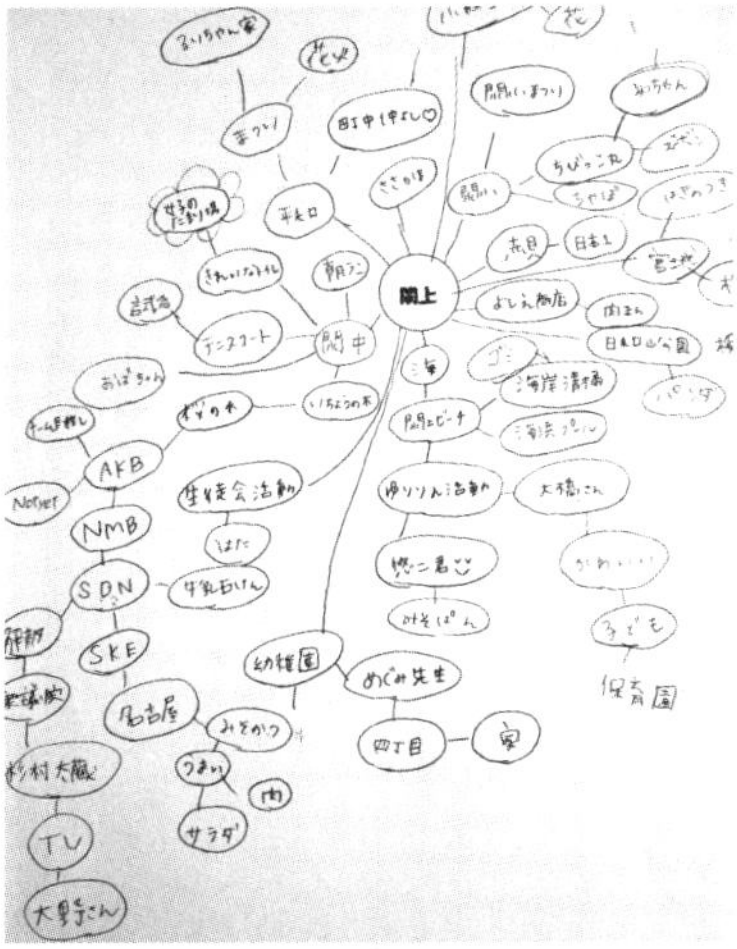

復興プランを考えるイメージ図

被災した校舎で、使えそうな教材はないか探していたところ、なぜか近くに大野さん。「地図、ありましたよー」「聖徳太子もいましたよー」と汚れを払って渡してくれた。きっと、仕事の休みの日にこうやって来てくれているのだろう、と思うと有り難かった。

一人一人の生徒に寄り添いながら、丁寧に取材を進めてできあがった番組は全国に放送され、その反響は大きかった。多くの支援の輪が広がり、生徒たちを支えていただいた。心から感謝している。

テレビを見て

宮本靜子

「手紙が届いていますよ」

そう言われて受け取ったのは、現金書留の封筒。津波発生から十日ほど過ぎたある日のことだった。差出人の方は知らないお名前だった。何だろう、と思って開けてみたら、多額のお金が入っていた。差出人は東京の調布市にお住まいの佐藤有子さんという方だ。

お手紙も入っていて「テレビで先生を拝見致しました。先生と生徒さんたちのために、先生の裁量で至急の事に用立ててくださいませ。テレビを何度も見て、閖上地区が名取市だと分かりましたので、取り急ぎ送金させて頂きました。落ち着いた頃に返事は届いただけ知らせていただければ助かります。どうかどうかお元気で。三月二十五日」とあった。

見ず知らずの方にこんなにしていただいて良いのか、と本当に驚いた。私自身、震災後のTVはほとんど見ていなかった。見ないようにしていたのかもしれない。テレビの番組といっても、ほとんどの内容は変更され、ACジャパンのメッセージが繰り返されていた。心のケアに配慮したこのような放送はこれまでなかったと思う。それほど、この震災は、日本中で心配しているのかな、とも思った。

校長先生に確認して、生徒に還元するように使わせていただこうと、教室に飾るお花を準備させていただくことにした。

　不二が丘小学校東校舎の各学級に、ちょっと豪華なお花が飾られた。お花の威力は素晴らしい。ぱっと教室が明るくなる。不安を抱えた生徒たちを、しばらく見守ってね、とお水をやりながら思った。生徒たちは、大変喜び、その方にお礼状を書いた。

　その方から、ハガキが届けられた。「たくさんの生徒さんの礼状に、涙してしまいました。また、名取市の歴史も産業も海と共にの生活も偲ばれました。復活した閖上地区をいつの日か拝見したいものです。閖上中学校は何処に出来るのでしょうか。皆様の希望が叶うといいですね。」とあり、靴下、ウェットティッシュ、チョコレートや食品など度々届けられた。

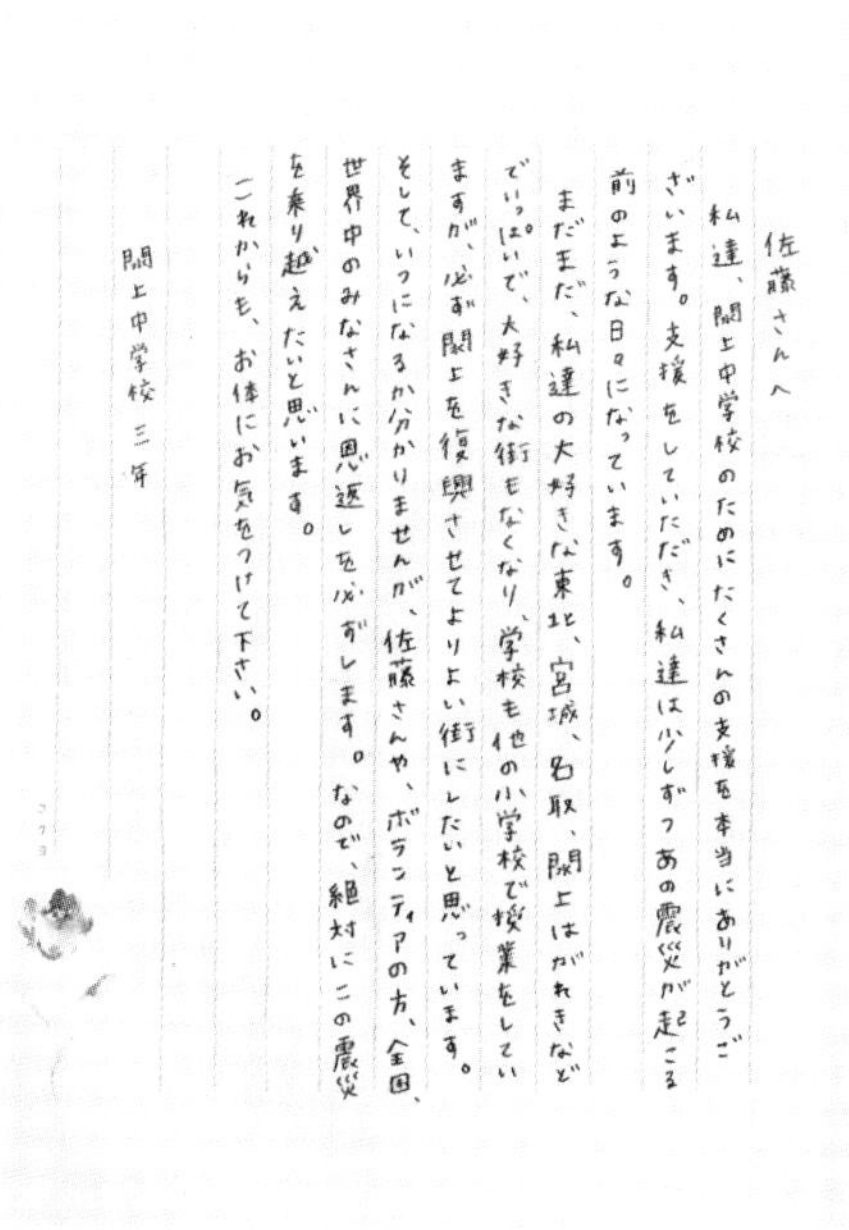

佐藤さんへ

私達、閖上中学校のためにたくさんの支援を本当にありがとうございます。支援をしていただき、私達は少しずつあの震災が起こる前のような日々になっています。

まだまだ、私達の大好きな東北、宮城、名取、閖上はがれきなどでいっぱいで、大好きな街もなくなり、学校も他の小学校で授業をしていますが、必ず閖上を復興させてよりよい街にしたいと思っています。

そして、いつになるか分かりませんが、佐藤さんや、ボランティアの方、全国、世界中のみなさんに恩返しを必ずします。なので、絶対にこの震災を乗り越えたいと思います。

これからも、お体にお気をつけて下さい。

閖上中学校　三年

佐藤さんへのお礼の手紙

　名取市民球場近くにプレハブの仮設校舎ができあがると、ご夫婦でわざわざ訪ねてくださった。「私に出来ることはないかと捜していたところ、閖上中の宮本先生をテレビで数分拝見したのがきっかけでした」と、真心を届けてくださった佐藤さんご夫妻。こうして、多くの皆さんに支えられ見守られて、学校は再開していった。

自衛隊の力

宮本靜子

震災から一ヶ月後の四月のある日、被災した校舎で片付けをしていたときのことだ。このときの校舎は、窓も昇降口も津波にのみ込まれた後で、出入り自由の状態であった。中で火遊びでもしたかな、という跡を見つけたときは、本当に悲しかった。

校舎の中には自衛隊の方がいた。「何か、困ったことはありませんか」と聞かれたので、「あの・・・、困っていると言えば、まだ見つかっていない生徒たちがいるんです」と言ったとたん、隊員さんの目が怖いほど真剣になった。「どんな子ですか」「どの辺にいたか、わかりますか」「どんな服装だったか教えてください」と、次々と聞かれ、わかる範囲で答えた。「わかりました。捜索します」そう答えて、校舎から出て行った。

その数日後、その子は見つかった。私たちには、毎日空港ボウル（遺体安置所）に行って、安否不明の生徒を確かめる、一番大切なそして本当に辛い仕事があった。レーンに並べられた棺に気が遠くなり、気がつくとそばにいらっしゃった遺族の方に怒鳴られたこともあった。

やっと見つかった生徒の顔を見て、「自衛隊のあの人が見つけてくれたの？」と聞いてみた。無言で目を閉じた懐かしい顔に、手を合わせた。

自衛隊の皆さんは、不眠不休で辛い任務をされていた。避難所では、炊き出しやお風呂を用意して避難者のために活動されていた。

ある生徒が言っていた。「先生、私たち知ってるよ。テレビで偉そうなこととか言う人たちもいるけど、一番頑張っていたのは自衛隊だよ。撤収するって聞いたときは皆泣いて敬礼したんだ」と。最も困難なとき、大人がどう行動したか、子どもたちはちゃんと目に焼きつけていた。

震災翌日の校庭にいる自衛隊の方々

届けられるたくさんの真心

宮本靜子

震災数日後、気がついたことがあった。高速道路のインターを、他県ナンバーの車が次々と降りてくるのである。そのナンバープレートからは、ほぼ全国から宮城に来たと思われた。多くの車は企業のもので「〇〇ガス」「〇〇電気設備」と、復興のために応援に来ているのが分かった。そのような車の列を見ると、本当に心強かった。応援してもらっている、と胸が熱くなった。

ガソリンスタンドには、給油待ちの車の列が、一車線だけでなく二車線にもなっている。「あのスタンドで入れられる」という情報が入ると、早朝から並ぶのである。これまでの日常は、有り難いものだった。

被災地の状況が報道されるようになると、多くの真心が届けられるようになった。真っ先に膨大なダンボールを送って下さったのが、高校の恩師小西和子先生だった。「無理をしないでゆっくり着実に前進していって下さいね」という手紙と共に、衣類、ノートなどの文房具や、保護者向けに洋服やバックまで入っていた。

先生が勤務する都立三鷹高校の生徒会からも学用品が届いた。「もっと送りたいけれども、何が良いかな」と言って下さるので、図々しく「なぜか、宮城県の中高生はミカサのバッグが大好きなんです」と伝えると、「よし、分かった！」と、全

小西先生から届いたミカサのバッグ

生徒分のミカサのバッグも送って下さった。生徒たちは大変喜んで次の日から愛用した。

さらに小西先生のお嬢さんの紹介で、東京の成蹊中学・高校からも、参考書、運動着や衣類や文房具がたくさん届いた。段ボール箱で何度も届くのは、生徒の皆さんへの呼びかけが広がったからだろう。この学校の名前が入ったジャージは、生徒たちは気に入って着ていた。他の学校名が入っているジャージを生徒が着ているのは、普段はなかなかないことだが、このときは全く当たり前だった。閖上中の制服やジャージが支援によって支給されるまで、この光景は続いた。

ある日、高校時代同じ寮だった友人が、文房具を大量に送ってくれた。通販で品質の良さそうな物を注文して送ってくれたのだ。「中学時代といえば、ドラマチックなことなど何もなくても、毎日がキラキラ輝いているような時期なのに、人生で一番とも思える試練にさらされた子どもたちのことを思うと、胸が張りさけるようです。何十年後かに、この春のことを思い出したとき、心がほっこりするような、あたりまえの中学生らしい日々が一日でもありますように」という手紙が入っていた。又、高校時代のある同級生からは毎年三月十一日に多額の図書カードを送られてくる。古新聞の回収によるお金で用意したものだという。ずっと思い続けてくれている真心に感謝でいっぱいになる。学校という学びの場でのつながりは一生の宝だと思った。

宮城教育大学の竹内先生のつながりで、レスキュージャパンという団体からも、たくさんの文房具が届けられた。有り難いことに、学生の有志の皆さんが、一人一人に渡せるようにパッケージにして、不二が丘小に届けて下さった。段ボール箱の中から文房具を取り出す時に、決して床の上に置くことなどないよう、心を込めて作業してくださったと聞いた。生徒はその真心に感謝して、大切に使っていった。

音楽のプレゼントもあった。学生時代の友人森三聖さんは、「何か出来ることないか。困っていること、あったら教えて」と何度も連絡をくれた。私が所属していた吹奏楽部で学生指揮をしていた神戸の森さん。「楽器はそろってきたけど、※ハーモニーディレクターが手に入らない」と伝えると、「よし、わかった」と全国のOBに呼びかけて、わざわざ不二が丘小まで届けてくれた。その際、「負けたらあかんで!!閖上中」というメッセージとともに吹奏楽部の部員に演奏のプレゼントまでしてくれた。事前に楽譜を郵送して、「顧問の菅井先生と一緒に演奏したい」と、ぶっつけ本番のフルートとピアノの演奏が始まった。じっと聴き入る生徒たち。一つの贈り物を届けるときに、どうすれば喜んでもらえるかと考えてくれたことに、感謝でいっぱいだった。

また、このハーモニーディレクターを購入する際、寄付してくれた方の中には、OBのお子さんもいたという。お小遣いの中から支援してくれたお子さんからは、「人数は少ないかもしれないけど、一人一人が心を一つにして演奏すれば聴いている人に勇気と元気が届き、皆に笑顔が戻ってくると思います。東北の皆さんに元気を与えていって下さい。私も頑張ります!」という手紙もあった。(※ハーモニーディレクター=音楽指導用キーボード)

森さんからのメッセージ

またその後、森さんのつながりで「アンサンブル神戸」という音楽団体が、仮設校舎に来て演奏して下さった。プロの音楽家の演奏を間近で見た生徒たちは、大興奮。初めて生のクラシック音楽を聴いた生徒は、「一曲目からもうすでに感動しすぎて泣きそうでした」「僕は、あんなに素晴らしい演奏を生まれて初めて聴きました。

特に良かったのが『情熱大陸』です。皆さんの迫力がすごかったです」と感想をまとめた。またある生徒は、「私は、最前列で演奏を見ることができました。タイミングを合わせるときの呼吸の様子、場面ごとに変わる皆さんの表情など、普段は絶対に見ることができない細かな動きを感じることが出来ました。体育館にいた全員が、穏やかな気持ちになることが出来ました」と感謝の想いをお礼状にした。

本物の音楽に触れ、一回り心が大きくなった生徒たちを見て、音楽の素晴らしさ、伝わったときの感動の大きさを改めて実感した。

テレビの番組がきっかけで、東京の女性の方々からシュシュも届けられた。番組では、「髪を輪ゴムで束ねていて痛くて不便。生活に関わる物じゃないけど、あったら気分も変わるし嬉しい」と、被災者の声が紹介されていたという。これなら、私にもできるかも、と皆さんに声をかけたら、四十人近い方々で二百個を超えるシュシュを作り、送って下さった。「アームバンドとしても使えるし、傘の持ち手に付ければ自分の目印にもなります」と、使い方まで手紙には添えられ、そのまま生徒に伝え渡すと、笑顔が広がった。集会所に集まってのシュシュづくりに参加できなかった方は、自宅で作り、中心者の方に郵送までしたという。

生徒のお礼状と生徒会誌をお送りしたところ、今度は手作りのポケット付きミニタオルを送って下さった。外出時に保冷剤など入れて使ってもらえたら嬉しいとのこと。「被災者の人たちに何かしたいと、皆心は一つです」という手紙から、きっとこの真心は、全国に広がっているのかなと、勇気づけられた。

このシュシュやミニタオルを生徒たちは大切にするだろう。そして、この手作りの品を見るたびに、温かな真心も思い出すことだろう。

仮設住宅にいらっしゃる高齢のご婦人たちは、一つ一つ手作りで作った雑巾を届けて下さった。「孫がお世話になってっから」と。早速、掃除の時間に使わせていただいた。

流失した教科書が支給され、学習の環境も少しずつ整っていく。新年度に使用する資料集やワークブックなどの副教材は、全校生徒分を全て明治図書出版株式会社が寄贈して下さった。多くの生徒が避難生活をしている家庭状況を考えると、本当に有り難かった。

吹奏楽部には、二つの団体から四台のティンパニの寄贈もしていただいた。

こうしたたくさんの真心に包まれて、生徒たちは一歩一歩前を向いて歩み出していった。

エピローグ　そしてこれから

震災後の生徒たち　―あなたにとって震災とは―

宮本静子

震災のあった平成二十三年三月に中学二年生だった生徒たちに、一年後もうすぐ卒業という頃に「一番心に残った授業」について、聞いてみた。最も多かったのが「二年生の時の閖上を歩いた地域調査」だった。中には、「今は、閖上はなくなってしまったけど、自分の心の中に震災前の閖上が残っているので、一番の思い出は地域調査です」と答える生徒もいた。

また、「復興プランを考え発表した授業」をあげる生徒も多かった。

この学年の生徒たちが、その後、故郷閖上について、また震災について、どう捉えているのか、学校はどんな存在だったのか、知りたかった。

震災から三年半が過ぎようとしていた二〇一五年十月、すでに大学一年生となっていた卒業生に行ったアンケート結果を紹介する。

【震災時、学校はあなたにとってどんな環境でしたか?】

・自分が自分でいられる環境でした。初めて避難生活をし、慣れない生活を送っていると、自分の本当の気持ちや、今やらねばならないことが分からなかった。そんな時、辛い体験を先生や友だちと共有し互いが支え合い、さらに震災についてきちんと向き合うことが出来る学校は、私には居心地が良かったです。

・普段なら両親に相談していることが、なかなか話すことができない状況で、迷惑をかけないために友だちに相談し助け合う場でした。また、幼い頃からすぐ近くにいていつでも会える友人に会うことが出来る唯一の場所でした。先生も、生徒一人一人に目を向けていて、助けてもらいました。心を寄せる場所でした。

・学校が不二が丘小に変わり、慣れるまで時間がかかりました。学校では、みんながいて楽しかったですが、同級生が一気に何人も減ったのが寂しかったし悲しかった。部活もずっとやっていた仲間がいなくなり、その状況を飲み込むのに時間がかかりました。そんな時、学校にはみんながいたので、学校があるのとないのとでは違っていたと思います。

・たくさんの友人がいてくれたため、心の拠り所となり友人や先生たちと話をすることで、たくさん笑うことができたので、とても気が楽になりました。

【震災前の社会科の地域調査は、あなたにとってどんな学習でしたか？】

・自宅が、閖上の町内とは離れた場所に位置していたため、閖上の土地勘が全くありませんでしたが、「自分の町、学区を知る」という点で、新しい発見が多く、役に立つことばかりで尚且つ面白いものでした。

・改めて自分が暮らす「閖上」を見つめ直すことが出来た良い機会でした。普通に過ごしていたら分からなかった場所、昔の姿を知ることが出来ました。閖上出身の大先輩である鈴木善雄さんから貴重な話を聞くことができ、さらに閖上が好きになった良い学習でした。他の地域でもやって欲しいです。

・閖上に住んでいても知らないことがたくさんあり、閖上の歴史、故郷の歴史など知ることができ、改めて良い町だなあ、と感じることが出来ました。

・閖上といっても、知らないこと、行ったことのない場所がたくさんありました。閖上のことを知ることができ、自分の足で歩いたことによって、記憶に残る学習でした。

【震災時、学習をする上で一番大変だったことはどんなことでしたか？】

・私自身、仮設住宅に住んでいるので、壁が薄く集中できなかったこともありました。が、学校に残って勉強したり、塾を利用したりしたので大丈夫でした。ただ、震災のことから切り替えをして勉強することができない時期があり、切り替えができませんでした。

・中学三年生になり、受験生となるので、気持ちを切り替えて勉強するという気持ちになるのに時間がかかったかなあと思います。

・初期の段階で、旧校舎に置いていた学用品を失い、物が不足していたことです。

・勉強道具や教材が全て無くなってしまったこと。新しくそろえるにもお金がかかり、なかなかそろわなかった。また、勉強する場が学校しかなかった。受験生であったのに、勉強することに葛藤があった。

こども会議での様子

【震災は、あなたの人生にどんな影響を与えたと思いますか？】

・人間として、一回りも二回りも成長させてもらえた。自分のことだけでなく、家族や近所の人、また後世の人のことまでも考えることができるようになった。自ら動き出すことの大切さを、こども会議、閖人（ゆりんちゅー）をスタートさせたことで学び、今では各メディアで取り上げてもらえるまでになった。とても悲しく、人生で一度もそのような経験はしたくはなかったが、確実に成長したと思う。
・今を後悔しないように生きようと思いました。自分の生きたいように生きていきたいと思うようになりました。今は、命の重さを知って他の人や友だちに気を配って助け合って生きていかなければならないと思いました。
・当たり前と思っていたことが、当たり前じゃなかったんだと思いました。家族、友人がいるのも、温かいご飯が食べられるのも、本当に幸せなんだと、身をもって経験しました。家族、友人、家・・・と失ったものは沢山あるけど、それと同じくらい考え方やこれからの生活において、大事なものを得ることができたと思いました。
・多くの友人を亡くし、思い出の深い自分の町を失うという、悲しい面がありながらも、命の尊さ、人とのつながりの重要性など、人が生きていく上で欠かすことができないものを知り、教師になり恩返しをするという明確な目標を持つことができ、得るものも多く人間として成長できたと思う。

これが、震災当時中学二年生で四年後に大学一年生となった卒業生たちの思いである。何も起こらなければ、経験することのなかった悲しみや辛さ、力強く生きていこうとする決意にもとれるような心が伝わってくる。ある保護者は「子どもたちが、前を向いて頑張っていくのに、私たち大人がついて行くのがやっとでした」と言っていた。

「多難興邦」これは、震災のあった二〇一一年十二月、北京師範大学の顧明遠先生からいただいた言葉である。

ある訪中団に参加させていただく機会に恵まれ、震災の中で頑張る生徒たちの様子をお伝えしたところ、じっと話を聞いて下さり、このようにおっしゃった。どんな困難なことがあっても、そこには必ず立ち上がっていく人たちがいる、との励ましだった。間髪入れずにこの言葉を話された時の暖かなまなざしは、今も目に焼き付いている。この言葉を授業で生徒たちに伝えた。深くうなずいているように見えた。子どもたちは、自分の今いるところでしっかり立ち上がり、その歩みを続けている。

ある卒業生は、語り部としてこの震災について多くの人たちに伝えようとしている。

また、大切な友人を失った悲しみを力にして現在消防隊員として現場の最前線に立つ卒業生もいる。

その眼差しは未来へ、友人が逝ってしまった空へと向けられている。

生徒たちの思い

文苑

◎第34回少年の主張
名取市代表者選考会　最優秀賞
仙台地区大会　優良賞

「思い」をのせて

三年　若生　宇未

「中学校に入ったら吹奏楽部に入りたい」小学校の時から、私は、中学校の吹奏楽部に入部するのを、楽しみにしていました。そう思ったきっかけは、二人の姉が、吹奏楽部に入っていて、音楽を奏でることを心から楽しんでいる姿を見ていたからです。また、私自身も幼い頃からピアノを習っていて、音楽に親しんで来ました。吹奏楽部では新しい楽器に出合い、そしてみんなで演奏する楽しさを味わいたいと考えていたのです。

　しかし、小学校の卒業を間近にひかえた三月十一日、東日本大震災の大津波による被害で、私の小学校も、入学する中学校も被災してしまいました。中学校が存続するかどうかという不安もあったのですが、むしろ、「音楽の力で人々を元気にしていきたい。」という希望が次第に私の中に芽生えたのです。震災後の一ヶ月の中で、たくさんの人たちが、私たちを励ましに来てくれました。その中でも特に音楽は、今自分が抱えている、不安や悲しみを忘れさせてくれたのです。

　中学校に入学し、私は希望通り吹奏楽部に入部しました。先輩方は私たちを温かく迎えてくださり、いつも笑顔で接してくださいました。先輩方の行動で一番驚いたのは、いつも誰に対しても感謝を忘れないことです。どうして、こんなにも周りの人たちに感謝できるのか、不思議でなりませんでした。

　ある日、顧問の先生が、震災当時の話をしてくださいました。その話の中で私は、先輩たちがたった数時間前まで一緒に演奏していた仲間を津波によって亡くしてしまったことを知りました。もう二度と一緒に演奏できない悲しみや悔しさは、想像を絶するものだったと思います。また震災後何日かして、先生が音楽室に行ってみると、楽器は残っているものの、無惨にも海水に浸ってしまい、使える状態にはなっていなかったそうです。

　しかし、私が入部すると同時に本当に多くの方々から楽器の支援がありました。また、石川県の能登ジャズフェスティバルに参加させていただいたこともありました。そのフェスティバルでは音楽を楽しむというのはこういうことかと実感し、久しぶりに穏やかに海をゆっくり見ることができました。久々に心が解放されていくのを感じることができたのです。またある東京の高校の吹奏楽部はわざわざ閖上まで来て、練習会を開いてくださったりもしました。大勢で合奏することで、吹奏楽の本当の楽しさを味わうことができました。

　また、入学したばかりの私には、なぜ先輩が、あそこまで感謝の気持ちを持ち続けることができるのか理解できなかったのですが、この二年間で先輩方の気持ちが少し分かるようになってきました。

　吹奏楽は、当たり前ですが、楽器がなければ演奏することができません。部があるのに、使える楽器がないということは、部の存続に関わることです。楽器があることが当たり前ではなかったのです。先輩方は楽器があることのありがたさを身にしみて感じていたのでしょう。

　また、吹奏楽は、心を一つに演奏し、演奏者の息が合っているところに、聴いている人の感動があるのだと思います。先輩方は一緒に演奏できる人がいる喜びに、心から感謝できるほどつらい経験をしたのでしょう。だからこそ私たちを温かく迎えてくださったに違いありません。

　あと二ヶ月で、最後のコンクールがあります。私たちはもちろん金賞をめざしています。そして、悔いのない演奏をめざしています。私は、この二年間吹奏楽を続けることができたのは、本当に多くの人々の温かい思いと支援のおかげだと思っています。それに対して今の自分にできることは、そのありがたみを十分に受け止め、みんなの思いに応えていくこと以外ないのではないかと考えています。吹奏楽を続け、コンクールに出たくても、かなわなかった先輩の思い、これまで多くの支援をしてきてくださった方々の思い、そして、どんなにつらく悲しい中でも笑顔で、私たちに接してくれた先輩方の思いを曲にのせて、精一杯の演奏をしていきたいと思います。そして、今度は、私が音楽の力で、人々を励ましていきたいです。

文苑

◎平成24年度名取市中学校弁論大会
優良賞

「わたしのふるさと」

2年　大宮　愛梨

「何もなくなってしまったなあ。」

「ここには公園や幼稚園があったんだなあ。」

浜風が心地よく吹き、時間がゆっくりおと流れてゆくとても穏やかな街、それが私のふるさと閖上でした。

学校の帰り道では、近所の方がよく声を掛けてくださり、安心して下校することができました。母が弟を出産し、退院後家事ができなかった時にも、おかずを届けてくれたり、買い物をしてくれたりと、困った時はお互いさまと言って閖上の街の人たちは、大きな家族のようでした。

そんなふるさとも、あの大津波ですっかり姿を変えました。

あの日避難した小学校の屋上から見おろす街は、あたり一面真っ黒な水に浸り、車や家が流れクラクションを鳴らし助けを求めている人や、家の屋根にしがみついている人がたくさんいました。それはとても恐ろしい光景でした。

家族のように暮していた街の人たちとも、離れ離れになり、私たちは避難先を転々としました。この仮説住宅を出たら次はどこへ行くのかと考える時があります。

約九割の住宅が津波の影響で全壊してしまった閖上地区は、現地での再建が計画されています。防潮堤の整備や、道路・居住区のかさ上げなど、津波対策をする計画が立てられています。

私の親は、もっと海から離れた場所に新しく閖上の町が作られないかと考えています。私も同じ場所に戻って暮らすことには、とても不安を感じます。あの恐怖がよみがえり、とても戻る気持ちにはなりません。だからと言って、まったく別の場所に暮らしていくというのにも不安を感じます。

母は今、「閖上復興だより」という地域の新聞を発行しています。震災でばらばらになってしまった住民が、再び一つの街の住人として暮せる日まで、つながりをもち続けられることを目的としています。内容は、元気に暮らす街の人たちの様子や、街の復興状況などを、仮設住宅や借り上げ住宅に暮らす方々に配布しています。みんなその新聞を毎日心待ちにしているようで、「第一号から欲しい」と希望する人もいるようです。

私のように閖上に戻ることを不安に思う人もいる一方、閖上の元の場所に戻ることを望んでいる人ももちろんいます。復興が遅れている原因がそこにありそうですが、どの人にもふるさとに対する強い思いがあるに違いありません。

私はこの一年半、閖上の人々との触れ合いの中や、自分の心の動きを通して感じたことがあります。それは、帰りたいふるさとは場所だけにあるものではなく、人と人とのつながりの中にあるのではないかということです。閖上があの場を離れることは確かにつらいことですが、閖上の人たちと離れなければならないことはもっともっとつらいことです。

ふるさとは、私たちの心の中で今でも健在です。先人たちが長い年月をかけて築いてきたふるさと閖上を守っていくのは私たちの使命だと思っています。これからも、人と人とのつながりを大切にし、ふるさとを守っていく取組みを続けていきたいと思います。


―46―

あとがき

卒業式の後に起こったあの日のことは、忘れることはありません。命より大切なものなどないということを、胸にしまい込み、生徒たちは前進していきました。その日々を取材を通して発信してくれたＮＨＫの大野さんをはじめとするメディアの皆さんに感謝したいと思います。このような報道がなければ結ばれることがなかったご縁は、今も続いています。不二が丘小学校の装飾ボランティアの皆さんが、生徒の様子をインターネット等で発信して下さったことも大きな反響となりました。国境を越えた情報ネットワークのすごさを改めて感じます。世界中から、応援メッセージや様々な寄贈がありました。全てお伝えすることができませんでしたが、支援をして下さった皆さんに心から感謝します。

それぞれの学校に勤務しながらの執筆は、なかなか思うようには進まず、コロナ禍ということも加わり、集まって打ち合わせもできないまま、本作りを進めることになりました。この中で最も苦しかったのは、あの日々と向き合うことの辛さでした。私自身、原稿を書き始めようとしたとき、途端に心が重くなったのも事実でした。様々な光景、亡くなった生徒たちとの思い出がこみ上げ、辛い時間ばかり過ぎることが多かったからです。この想いは、皆同じでした。それでも、これは残さなければならない。私たちは、自分を奮い立たせて形に残すことができました。空の上に逝ったあの子たちに届けようと。

この本は、多くの皆さんに支えていただいて完成しました。生徒の皆さん、卒業生の皆さん、保護者の皆さんに心から感謝します。表紙の絵は、卒業生の橋浦なぎささんが描きました。彼女には吹奏楽部の後輩から卒業式の前日にもらった手紙がありました。卒業式が終わってから読もうと大切にとっていたところに津波が襲い、手紙は流されてしまったそうです。後輩は、天に逝ってしまいました。「なんて書いてあったのかな」今もそう思っているそうです。令和二年の三月十一日、閖上には大きな虹が架かりました。そのイメージを海と共に表紙の絵を描いてくれました。空の上には子どもたちがいるように思えます。

地域調査に同行して下さった鈴木善雄様は二〇一六年十月にお亡くなりになりました。心からご冥福をお祈りします。また、ご子息の鈴木平一様には、資料の提供を快諾していただきました。心から感謝致します。

また、金港堂出版部の菅原真一様には、「先生方が忙しいのはよくわかっていますから」といつも温かく励ましていただき、編集を進めることができました。本当にありがとうございました。

平成三十年四月、閖上小中学校が開校しました。旧校舎よりやや内陸に建つ、全体が木の温もりに包まれた素晴らしい校舎で、新しい歴史が刻まれることになります。校舎内には、地震発生時刻の二時四十六分に止まったままの時計など展示している郷土資料館も設けられ、震災の記憶をとどめる意義も備えています。

人間が自然と向き合い共生しながら、限られた生を全うして次の世代につなげていく歩みを、互いに手を取り合って進めていきたいと思います。

二〇二一年二月

ゆりあげ乙女の会　　宮本靜子

ゆりあげ乙女の会
平成22～23年度に閖上中学校に在職していた女性教職員の会
岩佐菜央子　大橋恵美　金子淳子
古積緑　佐々木麻里香　菅井聡恵
高瀬明子　只野さとみ　千田由紀
細矢智恵子　宮本靜子　村田久美
（50音順）

カバー絵：橋浦なぎさ
（名取市立閖上中学校 平成22年度　卒業生）

ゆりあげの空に
令和3年2月11日　初　版

検　印
省　略

著　者　ゆりあげ乙女の会
発行者　藤原　直
発行所　株式会社金港堂出版部
仙台市青葉区一番町2-3-26
電話 022-397-7682
FAX 022-397-7683
印刷所　株式会社ソノベ

落丁本、乱丁本はお取りかえいたします。

ISBN978-4-87398-135-2